# CASADOS & FELIZES

*Não permita que seu casamento vire uma mala sem alça*

HERNANDES DIAS LOPES

© 2008 por Hernandes Dias Lopes

1ª edição: março de 2008
13ª reimpressão: março de 2025

*Revisão:* Josemar de Souza Pinto e Regina Aranha
*Diagramação:* Sandra Oliveira
*Capa:* Douglas Lucas
*Editor:* Aldo Menezes
*Coordenador de produção:* Mauro Terrengui
*Impressão e acabamento:* Imprensa da Fé

As opiniões, as interpretações e os conceitos desta obra são de responsabilidade de quem a escreveu e não refletem necessariamente o ponto de vista da Hagnos.

Todos os direitos desta edição reservados à
EDITORA HAGNOS LTDA.
Rua Geraldo Flausino Gomes, 42, conj. 41
CEP 04575-060 – São Paulo, SP
Tel.: (11) 5990-3308

E-mail: editorial@hagnos.com.br | Home page: www.hagnos.com.br
Editora associada à Associação Brasileira de Direitos Reprográficos (ABDR)

**Dados Internacionais de Catalogação na Publicação (CIP)**
**(Câmara Brasileira do Livro)**

Lopes, Hernandes Dias
    Casados & felizes: não permita que seu casamento vire uma mala sem alça / Hernandes Dias Lopes. – São Paulo: Hagnos, 2008.

    Bibliografia
    ISBN 978-85-7742-024-7

    1. Casais - Relações interpessoais  2. Casais - Vida religiosa  2. Casamento - Aspectos religiosos  4. Cônjuges  I. Título.

08-00316                                                        CDD 248:844

**Índices para catálogo sistemático:**
1. Casais: Amor conjugal: Guias de vida cristã   248:844
2. Marido e mulher: Amor conjugal: Guias de vida cristã   248:844

# Dedicatória

Dedico este livro ao querido irmão Manfred Koeller e sua amada esposa, Anézia. Eles são irmãos, amigos e companheiros de caminhada, refrigério de Deus em minha vida, família e ministério, instrumentos do Altíssimo que têm sido uma grande bênção para nós.

# Sumário

*Prefácio* .................................................................................. 7

**Capítulo 1**
As imagens do casamento .......................................................... 9

**Capítulo 2**
A receita de Deus para a felicidade no casamento ................... 41

**Capítulo 3**
Mantendo a alegria no casamento ............................................ 55

**Capítulo 4**
Os ingredientes de um casamento feliz .................................... 65

**Capítulo 5**
Comunicação, o oxigênio do casamento feliz .......................... 81

**Capítulo 6**
A intimidade sexual no casamento feliz ................................... 91

**Capítulo 7**
As virtudes da mulher que edifica um casamento feliz .......... 103

**Capítulo 8**
O perdão e a reconciliação são melhores do que o divórcio ... 119

# Prefácio

Perdida e confusa em seu individualismo consumista e narcisista, a sociedade secular contemporânea busca freneticamente a felicidade. A dita felicidade, em grande, passa pelas configurações complexas e enigmáticas dos relacionamentos humanos. E por maior que seja o progresso tecnológico e as facilidades da vida do século 21, parece que os relacionamentos sociais e familiares encontram-se numa crise sem precedentes.

Talvez o mais surpreendente e preocupante é o fato de que a crise também se apresenta nas igrejas e comunidades cristãs e evangélicas. Longe de serem ilhas de refúgio, as igrejas evangélicas têm sentido de perto o drama dos casamentos e famílias fragilizadas pelo empobrecimento dos relacionamentos conjugais. A comprovação da triste realidade é o número de divórcios em nossas igrejas!

Em meio a tais circunstâncias desfavorecedoras, a luz da Palavra divina ainda resplandece, e com muito brilho. É com alegria e esperança que apresento *Casados & felizes*, rica obra do Rev. Hernandes Lopes, hábil escritor, consagrado por suas obras que traduzem a teologia cristã para a vida prática. Este livro vem trazer ensino bíblico, reflexão sobre o casamento e dicas práticas do cotidiano que fazem toda a diferença.

A capacidade de síntese, o equilíbrio de enfoque, o embasamento bíblico e a atenção a detalhes fundamentais do relacionamento conjugal marcam de modo especial esta obra promissora e edificante. Longe de voltar-se para teorias complexas e mirabolantes, o Rev. Hernandes concentra seu enfoque na perspectiva bíblica do casamento, do sexo e do relacionamento entre marido e mulher. Em seguida, afastando-se de uma abordagem de generalidades, *Casados & felizes* dá muita atenção às pequenas coisas da vida conjugal que se comparam ao regar de uma planta. Este cuidado especial, com toda a sua riqueza polimórfica, é destacado e tratado com sensibilidade. E até o "fantasma" do divórcio é discutido com a atenção necessária de modo muito sóbrio e realista.

Temos convicção e esperança de que *Casados & felizes* será uma bênção na vida do casal e da família brasileira. Nosso desejo é que os esforços do autor em seu preparo, reflexão, experiência, oração e desejo de abençoar nossas famílias, sejam plenamente recompensados com uma qualidade de vida conjugal em cada lar onde esta obra se encontrar.

Luiz Sayão

# 1

# As imagens do casamento

O apóstolo Paulo, escrevendo sobre o casamento, diz que ele é um grande mistério.

O homem é muito diferente da mulher. Ele tem uma cosmovisão profundamente distinta da cosmovisão da mulher. O homem vê as coisas, as sente e interpreta de forma diferente da mulher. Alguns escritores contemporâneos tentam descrever essa diferença entre o universo masculino e o feminino pelo título provocante de seus livros: *O homem é de marte, a mulher é de Vênus, Por que os homens mentem, e as mulheres choram?, Por que os homens fazem sexo, e as mulheres fazem amor?*

O livro de Provérbios descreve com figuras intrigantes essa complexidade quase incompreensível do casamento. O sábio disse que três coisas o encantavam, mas uma quarta ele não compreendia (Provérbios 30:18,19). O que o encantava? O caminho da águia no céu, o caminho da cobra na pedra e o caminho do navio no meio do mar. O que sua mente peregrina e arguta não conseguia entender? O caminho de um homem com uma donzela, ou seja, o casamento.

A melhor maneira de explicar algo complexo não é por meio de palavras, mas de figuras e imagens. Vivemos no mundo das imagens. Imagens falam mais que palavras. Uma figura vale mais do que mil palavras. Por isso, Jesus de Nazaré, o maior mestre de todos os tempos, usou figuras e imagens para ilustrar seus grandes conceitos. Quando Jesus quis falar sobre a influência da igreja no mundo, não fez um discurso rebuscado com palavras eruditas, mas evocou a figura do sal e da luz. Quando ele quis tratar do princípio da humildade, não citou os grandes corifeus e luminares da filosofia grega, mas pegou uma criança e a pôs em seu colo, dizendo que quem não se fizesse como uma criança jamais entraria no reino dos céus. Quando Jesus quis falar de sua imprescindibilidade para o homem, disse de Si mesmo: "Eu sou o pão da vida"; "Eu sou o caminho, a verdade e a vida"; "Eu sou a porta"; "Eu sou o bom pastor"; "Eu sou a ressurreição e a vida".

Neste texto, examinaremos algumas figuras. Algumas são exóticas, outras familiares, mas todas abrem uma janela para a nossa compreensão.

### Uma mala velha, pesada e sem alça

O casamento é como uma mala velha, pesada e sem alça. A figura parece estranha e negativa, mas é sugestiva. Quando nos casamos, levamos para casa uma mala com nosso enxoval. Nesse enxoval, levamos não apenas vestes e roupa de cama, mesa e banho, mas também nossos hábitos, manias, cultura, idiossincrasias, vícios e deformidades. Quando desfazemos essas malas e ajuntamos nossas tralhas, algumas coisas sobram, e essas coisas incomodam, e muito.

O casamento é um grande mistério. É um milagre dois seres tão diferentes, como o homem e a mulher, se harmonizarem numa relação. O homem é um universo completamente distinto da mulher. Há alguns livros que enfatizam essa profunda diferença. Dr. John Gray escreveu um livro cujo título é *O homem é de Marte, e a mulher é de Vênus*. Outro livro tem como título *Por que os homens mentem, e as mulheres choram?*. Outro, ainda, diz: *Por que os homens fazem sexo, e as mulheres fazem amor?*. O homem tem a tendência de ser mais racional, enquanto a mulher é mais sentimental; o homem tem uma visão geral, e a mulher observa as particularidades; o homem é mais prático, e a mulher mais observadora. Embora sejam tão distintos, eles não se excluem, completam-se.

Fato digno de nota é que quando marido e mulher aterrissam no lar doce lar, depois da lua-de-mel, percebem que trazem determinadas coisas muito valiosas de que jamais abrirão mão. Há determinadas manias de que jamais nos desgrudamos. De algumas coisas, nós até podemos nos desvencilhar, mas de outras jamais nos desfaremos. Ao caminhar pelas ruas de Vitória, ES, vi uma mulher empurrando uma carroça cheia de quinquilharias, de coisas velhas e sujas. Ela se agarrava àquelas velharias como se fossem um verdadeiro tesouro. Fiquei imaginando que todos nós também empurramos a nossa carroça. Dentro dessa carroça, levamos nossos hábitos, cultura e manias. Não permitimos que ninguém venha nos incomodar nem tirar nossos bens tão valiosos.

Passamos boa parte da nossa vida agarrados a essa mala velha, polindo nossas moedas antigas e lustrando nossos escudos centenários. Temos orgulho da herança que recebemos de nossos pais e avós. Nossos ancestrais guardaram as mesmas relíquias. Sentimo-nos guardiões das tradições da família e jamais estamos dispostos a nos desfazer dessas relíquias tão preciosas. Somos os preservadores desses relicários e sentimo-nos orgulhosos de passar à geração futura essa mala velha, ou seja, os nossos hábitos e cultura.

Quando abrimos essa mala velha, pesada e sem alça, percebemos que muitas dessas relíquias incomodarão profundamente nosso cônjuge. Nosso vocabulário, nosso tom de voz, nossas manias, nossos hábitos, nossos costumes, nossos gostos, nossa preferência podem ser um grande incômodo para quem convive conosco debaixo do mesmo teto. Há coisas pequenas que podem irritar um ao outro, como o jeito de mastigar ou de apertar o tubo de creme dental. Deveríamos ser mais sensíveis ao nosso cônjuge e menos apegados a essas relíquias e antiguidades que transportamos nessa mala velha e sem alça.

### Uma conta bancária

O casamento pode ser comparado a uma conta bancária: precisamos depositar mais do que sacamos. Se tentarmos tirar da nossa conta mais do que depositamos, iremos à falência, perderemos o crédito, e nosso nome irá para o rol dos devedores. Assim também é o casamento: precisamos investir mais do que cobramos; elogiar mais do que criticamos; amar mais do que exigimos ser amado.

É tolice pensar que duas pessoas são automaticamente felizes. A felicidade não é automática, mas um alvo a ser perseguido com muito trabalho, esforço e dedicação. Concordamos com Thomas Alva Edson quando diz que nosso sucesso é construído de 10% de inspiração e 90% de transpiração. Aquela ideia de que duas pessoas se casaram e foram felizes para sempre é uma utopia e um romantismo inocente; isso não passa de mito. Todo casamento é um campo a ser cultivado. Todo casamento precisa de investimento e renúncia. Não há casamento perfeito nem casamento ideal. Não existe essa ideia de duas pessoas completamente compatíveis. Um casamento feliz é construído com inteligência, dedicação e esforço.

Outra ideia que precisamos desmistificar é aquela de duas almas gêmeas. Essa ideia é irreal, portanto, inexistente. Não existe esse negócio de duas pessoas serem o reflexo uma da outra. A Bíblia não ensina isso. O casamento é uma união de duas pessoas distintas e diferentes para um propósito comum. São duas pessoas que vêm de famílias diferentes, de culturas diferentes, com opiniões diferentes, com gostos diferentes que se unem para formar uma só carne. Para que essa união se torne harmoniosa, é preciso fazer constantes investimentos. É necessário manter sempre um saldo positivo no relacionamento conjugal.

Há pessoas que cobram muito e nunca oferecem nada. Esperam muito do cônjuge, mas dão pouco. São verdadeiras sanguessugas e parasitas no casamento. Exploram o cônjuge e tiram dele tudo o que podem, mas nada oferecem em troca, a não ser incompreensão e intolerância. Não é esse o projeto de Deus para o casamento.

Há outras pessoas que buscam o cônjuge ideal para o casamento. Isso também é um mito. Não existe essa pessoa ideal. O negócio não é procurar a pessoa ideal, mas ser a pessoa adequada. O problema não é o outro; sou eu. Quando falo em procurar a pessoa ideal, estou dizendo que já sou a pessoa perfeita e que o outro é que precisa mudar. Isso é um engano. Casamento é um ajuste constante de duas pessoas diferentes. São como dois rios que unem suas águas num mesmo leito, mas jamais perdem sua individualidade. Os cônjuges são como as águas dos rios Negro e Solimões; embora se unam num mesmo leito, conservam seus diferentes matizes. Todo casamento precisa trabalhar duas áreas vitais: renúncia e investimento. Sem esses dois ingredientes, não há casamento feliz.

Nós não nos casamos para sermos felizes; casamo-nos para fazer o cônjuge feliz. O amor não é "egocentralizado", mas "outrocentralizado". A Bíblia diz que o amor não visa seus próprios interesses. O amor não pensa no que pode receber, mas no que pode dar. Ele não busca a satisfação do "eu" em primeiro lugar, mas a realização do outro. Ele não olha para o próprio umbigo, mas concentra-se na realização e na felicidade do outro.

## Olhos abertos e ouvidos atentos

Deus fez a mulher diferente do homem, embora a partir deste. Deus é criativo, e Sua criação expressa Sua bondade e esplêndida sabedoria. Cada pessoa é um universo singular. Cada pessoa do Universo tem impressões digitais únicas.

Deus criou você e jogou a fôrma fora. Deus não nos criou em série, mas fez cada um de forma exclusiva e peculiar. Uma das características que diferem o homem da mulher é que esta é atraída pelo que ouve, e o homem é despertado pelo que vê. Dessa forma, a mulher deve ser mais atenta com sua apresentação pessoal, e o homem, mais cuidadoso com suas palavras.

Há um ditado chinês que diz que devemos abrir bem os olhos antes do casamento e depois fechá-los. Hoje é diferente. Muitas pessoas parecem fechar os olhos durante o namoro e, depois do casamento, sofrer de insônia e viver não apenas com os olhos abertos, mas carregando uma grande lupa. O namoro é uma experiência de adequação e teste. Quando ele apresenta sinais de ciúmes, brigas, discordâncias, isso é um alerta de que não deve prosseguir. Tapar os ouvidos a esses sinais é fazer uma viagem rumo ao desastre. É uma consumada loucura fazer uma viagem sem observar os sinais à beira da estrada; isso seria pôr nossa vida e a dos outros em grave perigo. Você não é uma ilha. Quando você caminha para o casamento sem atentar para as placas de Deus, produz sofrimento para você, sua família e as gerações pósteras.

Contudo, o que significa dizer que os homens são despertados pelo que vêem? Deus mesmo nos criou assim. Essa é uma peculiaridade inalienável do ser masculino. Não há nada de errado nisso. Não há nenhum mal intrínseco nisso. Essa característica, porém, constitui-se um alerta em duas áreas:

Primeiro, as mulheres devem ser mais cautelosas na maneira de se vestirem. Se o homem gosta de olhar, a mulher gosta de ser olhada. Se o homem é atraído pelo que vê, uma mulher desatenta na maneira de se apresentar ao marido comete um grave erro. Ela deve estar atenta em agradar ao marido e apresentar-se com graça e beleza mesmo na intimidade do lar. Uma mulher sábia não desleixa a aparência, seu vestuário e seu corpo. Ela tem prazer em se preparar para seu marido, tornando-se sempre atraente para ele. Ela precisa continuar sendo uma fonte de prazer para ele. Algumas mulheres vão para a cama com a camiseta amarrotada da campanha política do pleito passado e ainda têm a pretensão de que o marido se entusiasme na relação sexual. Não se iluda, seu marido está vendo mulheres atraentes e cheirosas todos os dias e precisa continuar olhando para você como alguém que se prepara para ele. Um lingerie atraente ou um pijama de seda é um grande investimento no casamento. O cuidado com o cabelo, com o corpo, com as vestes, com a apresentação pessoal é algo que todo marido aprecia na sua esposa.

Segundo, os homens precisam vigiar para não caírem nas malhas da sedução. O homem precisa fazer aliança com os seus olhos para não cair em tentação. As mulheres precisam distinguir entre o que é vestir-se com bom gosto e vestir para despertar nos homens um desejo lascivo. Uma mulher cristã não expõe seu corpo como instrumento de iniquidade. Ela não barateia seu corpo, apresentando-o na vitrina do desejo carnal. Ela compreende que seu corpo é templo do Espírito Santo e pertence ao seu marido. A mulher cristã entende que as roupas mostram mais do que escondem. Elas revelam mais o íntimo do que cobrem o exterior. A maneira de uma mulher vestir-se desnuda o seu íntimo e revela seus valores. A Palavra de Deus condena o uso indevido do corpo com o propósito de despertar no outro um desejo lascivo. A defraudação é o pecado de despertar no outro um desejo que não pode ser satisfeito licitamente (1 Tessalonicenses 4:3-8). Esse preceito bíblico deve levar as mulheres cristãs a serem criteriosas na maneira de se vestir. Quando um homem peca pela cobiça dos olhos, muitas vezes, isso é fruto também da falta de modéstia e decência das mulheres no vestir. Davi pecou ao cometer adultério com Bate-Seba, mas ela também pecou ao banhar-se nua em local vulnerável aos olhos de outrem. Davi caiu, mas ela pôs o laço que o derrubou.

Os homens, por sua vez, devem fazer aliança com os seus olhos para não pô-los lascivamente numa mulher que não seja sua esposa. Devem fugir da impureza, e não alimentar seus olhos com a lascívia. Há determinadas situações que a Bíblia nos manda enfrentar e resistir; outras, de que Deus nos manda fugir. Em momento algum, Deus nos ensina a resistir a esse pecado do desejo lascivo; ao contrário, nos ordena a fugir. Ser forte é fugir, como José fugiu da mulher de Potifar.

Essa figura enseja outra lição. Os homens devem ser cuidadosos com o que falam à esposa. A língua tem o poder de dar vida ou matar (Provérbios 18:21). Com ela, edificamos ou destruímos a relação conjugal. Muitas mulheres perdem o encanto com a relação conjugal porque foram humilhadas por comentários indelicados, palavras ferinas e gestos desairosos de seu marido. Muitos homens são como Nabal, duros no trato. Há algumas coisas que um homem sensato jamais deve fazer: primeiro, comparar sua mulher com outras mulheres. Ninguém gosta de ser comparado. Somos uma pessoa única e singular. A comparação humilha e amassa as emoções da pessoa. Segundo, criticar a esposa perto de outras pessoas. Há marido tão insensível que, além de tecer críticas à esposa, ainda a expõe ao vexame público. Terceiro, tratar a esposa com rispidez. A palavra dura suscita a ira e destroi o romantismo. Uma mulher perde o interesse sexual por um homem que a trata com desdém. Nada destroi mais o romantismo do que palavras duras. Quarto, depreciar o corpo da mulher. Nada humilha tanto uma mulher do que ser criticada pelo marido por estar gorda ou magra. Ninguém gosta de ser depreciado. Isso achata a autoestima e amassa as emoções. Quinto, criticar a família da esposa. Um homem sábio jamais critica a família da sua mulher. Mesmo que haja coisas negativas a serem faladas, o marido deve manter-se em silêncio se não pode falar coisas positivas.

### Jogo de tênis ou frescobol?

O casamento não é uma competição, mas uma parceria. Os cônjuges não são rivais, mas parceiros. Eles não estão disputando nem concorrendo um com o outro, mas cooperando um com o outro. A Bíblia diz que melhor é serem dois do que um. A mulher foi dada ao homem não como concorrente, mas como companheira idônea, ou seja, uma pessoa adequada. Ela completa o homem emocional, psicológica, espiritual e fisicamente.

Rubem Alves, professor aposentado da Unicamp, usa uma figura simples, mas criativa e eficaz, para ilustrar o que é o casamento: um jogo de tênis ou frescobol. Há vários aspectos semelhantes entre um jogo de tênis e um jogo de frescobol. Ambas as modalidades têm dois jogadores, duas raquetes e uma bola. Contudo, o jogo de tênis é agressivo.

Os dois jogadores entram numa quadra para competir, e um precisa derrotar o outro. Os jogadores aproveitam o erro do rival para prevalecer sobre ele. Num jogo de tênis, não se perdoa a falha do adversário, ao contrário, ela é explorada para conseguir a vitória. No frescobol, as coisas são diferentes. Os jogadores não são rivais, mas parceiros. Eles não competem; cooperam. Num jogo de frescobol, não há perdedores. Eles não jogam para triunfar um sobre o outro, mas para ter um gostoso momento de deleite. Quando um dos jogadores comete uma falha, o outro faz um imenso esforço para devolver a bola redonda, porque o jogo não pode parar. O casamento deve ser um jogo de frescobol, e não um jogo de tênis.

Hoje, vivemos uma quebra de paradigmas. Nossa cultura não tolera mais princípios absolutos. Vivemos uma perda de critérios. Nossa geração está removendo os marcos antigos. Atualmente, muitas pessoas se casam, mas não se comprometem. Elas dormem na mesma cama, mas não compartilham os mesmos sonhos. Têm, às vezes, o mesmo sobrenome, mas não lutam pelos mesmos ideais. Não raro, marido e mulher trabalham fora do lar. Cada um tem sua conta bancária e gasta o seu dinheiro como lhe apraz, sem dar satisfação ao outro. O casamento limita-se ao leito conjugal. Nestes tempos pós-modernos, assistimos à decadência do casamento. O índice de divórcios cresce de forma alarmante. Em alguns países, como os Estados Unidos, o índice de divórcios já chegou a 50%. No Brasil, o divórcio entre a terceira idade cresceu 51% nesta última década. Não existe mais fase segura no casamento. Na era milagrosa da comunicação, o diálogo está morrendo dentro da família. Está acabando o companheirismo. Vivemos o tempo dos relacionamentos descartáveis. Acabou aquele tempo dourado do pertencimento, do gostar de estar junto, de continuar o namoro depois do casamento, de se curtir junto a vida, os sonhos, as alegrias e as tristezas.

Como está o seu casamento? Ele pode ser comparado a um jogo de tênis ou de frescobol?

### As primeiras coisas primeiro

Prioridade é uma palavra-chave. Nada é mais desastroso para você do que passar toda a vida envolvido com banalidades e deixar para trás o que é prioridade. O casamento não é um apêndice na vida. Trata-se da essência da própria existência. Marido e mulher têm uma relação mais sólida do que a relação com os filhos. Marido e mulher são uma só carne. Os filhos nascem, crescem, casam-se e batem asas do ninho. Mas marido e mulher continuam construindo sua história. A relação deles só deve terminar com a morte.

Um homem, certa feita, procurou-me buscando ajuda. Seu casamento estava chegando ao fim. Depois de quinze anos de vida conjugal, a relação estava se rompendo. Desejando construir um patrimônio, ambos começaram a trabalhar com muita determinação desde o começo. O marido trabalhava das 6 às 17 horas, e a esposa das 18 às 23 horas. Depois de quinze anos, um olhou para o outro e perguntou: "Quem é você?". O rosto que cada um via não era o do cônjuge, a voz que cada um ouvia não era a do cônjuge, o cheiro que cada um sentia não era o do cônjuge. Não tardou para que eles tivessem a sensação de que estavam dormindo com um estranho, para não dizer que já estavam dormindo com o inimigo. Coisas não podem ocupar o lugar de pessoas. Relacionamento é mais importante do que bens materiais. O que você precisa para ser feliz não é de uma casa mais espaçosa nem de um carro mais novo, mas de um relacionamento mais cheio de encanto. Equivocam-se aqueles que pensam que a felicidade está no ter, e não no ser. Enganam-se aqueles que sacrificam o casamento para chegar ao topo da pirâmide social. O filme O *Advogado do Diabo* retrata esse fato de forma dramática. Seduzido pela riqueza e fama, o jovem advogado deixa sua cidade pacata e ruma para Nova York. O sucesso subiu à sua cabeça. A fama o embriagou. Começou a transigir com sua consciência. Negociou valores absolutos para ganhar dinheiro. Teve uma carreira meteórica. Tornou-se um fenômeno, ganhou muito dinheiro, mas para isso precisou vender a alma ao diabo. Nessa escalada rumo ao sucesso, perdeu sua esposa e arrebentou com sua própria vida. Nenhum sucesso compensa o fracasso da família. A vitória que exige o sacrifício da família é pura perda. Ela tem sabor de derrota amarga.

Conheci um empresário que tinha orgulho de acrescentar anualmente à sua declaração de imposto de renda mais um apartamento, mais um sítio, mais um automóvel. Para alcançar esse objetivo, ele tinha três empregos. Trabalhava o dia todo e parte da noite. Não tinha tempo para conviver com os filhos. Saía de casa e os deixava dormindo; quando chegava, eles já haviam se recolhido. Os anos se passaram, e esse empresário mais e mais mergulhava no trabalho. Queria deixar uma herança sólida para os filhos. Nessa sede pela riqueza, nem se apercebeu de que estava perdendo os filhos. Seus filhos não precisavam de presentes, mas de presença. Eles não queriam bens; queriam o pai. Quando seu filho fez 18 anos, amargurado com a ausência do pai envolveu-se com drogas e logo morreu de overdose. O pai chorou amargamente e tardiamente reconheceu que toda sua fortuna não podia preencher o vazio que o filho havia deixado. Reconheceu que, se pudesse voltar atrás, começaria tudo de forma diferente e daria tudo em troca do seu filho.

A Bíblia diz que os filhos são herança de Deus. Eles são mais importantes do que bens materiais. Eles valem mais do que toda a fortuna do mundo. Busque as primeiras coisas primeiro. Refaça sua agenda. Mude a ordem de prioridades da sua vida.

Muitos pais não têm tempo para os filhos. Um filho chega em casa e pede ajuda para fazer um dever da escola, e os pais respondem: "Não temos tempo; estamos muito ocupados". Em seguida, o telefone toca, e eles correm para o telefone e gastam trinta minutos conversando banalidades. Os filhos descobrem que têm menos crédito com os pais do que os amigos. Eles percebem que os pais estão disponíveis para os de fora, e não para eles. Muitos pais perdem a oportunidade de declarar amor aos filhos. Deixam de pegar seus filhos adolescentes no colo. Deixam de investir tempo na vida dos filhos.

Davi era um pai amoroso. Ele nunca gostava de contrariar os seus filhos. Mas, certa vez, Davi teve um problema com seu filho Absalão. Este precisou fugir do país para não enfrentar a perseguição do pai. O tempo passou, e Davi não procurou resolver o impasse entre ele e Absalão. Por insistência de Joabe, Absalão retornou a Jerusalém, mas não pôde ver a face do pai. Dois anos se passaram, e Absalão mandou um recado para o pai, dizendo-lhe que preferia que o pai o matasse a continuar com o diálogo interrompido com ele. Davi o recebeu no palácio, mas não lhe dirigiu sequer uma palavra, apenas o beijou. Aquele jovem amargurado saiu dali para conspirar contra o pai. Nessa infeliz empreitada, Absalão morre, e Davi chora, dizendo: "Absalão, meu filho, meu filho Absalão". Agora era tarde. Davi teve toda a oportunidade do mundo para expressar amor pelo filho, e não o fez. Agora Absalão não podia ver as lágrimas do pai nem sentir o calor do seu amor. Costumamos mandar flores em abundância quando um ente querido morre. Entupimos o velório com lindas coroas de flores, quando o morto não pode cheirar sequer um botão de rosas. Muitas vezes, durante a vida, não lhe mandamos sequer uma flor, não lhe fizemos sequer um elogio. Precisamos expressar amor às pessoas certas, no tempo certo. Precisamos buscar as primeiras coisas primeiro.

### O mito da grama mais verde

Temos a tendência de pensar que as coisas dos outros são melhores do que as nossas. Somos tentados a esticar o pescoço e olhar por cima do muro, admirando a grama verde do vizinho. Certa feita, Asafe quase resvalou os pés por olhar pela janela do desejo e sentir-se insatisfeito com sua condição. Na verdade, a insatisfação o dominou quando ele olhou a prosperidade do ímpio. Ele sentiu que a vida do ímpio era melhor que a sua vida. O ímpio tinha riqueza, saúde, amigos, prosperidade e sucesso. Ele, embora estivesse andando de forma piedosa, era implacavelmente castigado todos os dias. Sua mente estava confusa; sua alma, inquieta; e seus pés, dentro de um laço. Por providência divina, foi ao santuário e descobriu que a riqueza do ímpio não lhe dava segurança eterna. Percebeu que Deus era o seu tesouro na terra e no céu. Então, descobriu que não tinha razões para sentir inveja do ímpio. A grama verde do ímpio era apenas uma ilusão ótica. Do outro lado da cerca, não tinha um jardim de vida, mas um deserto de morte.

Esse fenômeno se repete na família. Alguns pais pensam que os filhos dos outros são mais educados do que os seus. Alguns maridos pensam que a mulher do vizinho é mais carinhosa do que a sua. Algumas esposas pensam que o marido da amiga é mais atencioso do que o seu. Temos essa tendência de pensar que os outros têm algo ou alguém melhor do que nós. Isso é um engano. Se você pudesse conviver com essa pessoa que você julga melhor, verificaria que as aparências enganam. As estatísticas provam que 70% das pessoas que se divorciam e casam de novo, dez anos depois descobrem que o segundo casamento foi pior do que o primeiro.

Um dos erros mais comuns que ocorre nos casamentos abalados pela falta de carinho é a tentativa desesperada de segurar o cônjuge que está escapando. Para alcançar esse intento, muitas pessoas se humilham, choram, desesperam-se e chegam a pedir ao cônjuge que não vá embora. Essa atitude é infantil e infrutífera. Ela só afugenta ainda mais o cônjuge que está se afastando da relação. Essa atitude desperta piedade, e não amor. Ninguém fica com ninguém por dó. A única atitude coerente e digna é valorizar-se, levantar a cabeça e jamais se rebaixar. Em vez de entregar-se ao desespero, a solução é confiar em Deus e pôr o pé na estrada da vitória. A pessoa que está ensaiando sair da relação conjugal precisa estar consciente de que, se não mudar, vai perder o seu cônjuge. Não podemos ser amados se não valorizamos a nós mesmos. Não podemos ser amados se amassamos as nossas próprias emoções debaixo do rolo compressor da autopiedade.

Outro erro grosseiro que se comete num tempo de crise conjugal é tentar monitorar o cônjuge, buscando vigiar e controlar seus passos. Ninguém consegue ser feliz vivendo sob custódia ou vigilância. Ninguém pode ser feliz no cabresto. A solução para um casamento em crise não é construir uma cerca mais alta, mas melhorar o pasto do lado de cá da cerca. Em vez vigiar o cônjuge que está olhando por cima do muro, o segredo é cultivar a grama do seu pasto, a fim de que ele encontre deleite na relação. Há um ditado popular que diz que pegamos mais moscas com uma gota de mel do que com um barril de fel. Elogios funcionam melhor do que críticas. A palavra boa é como medicina; ela produz vida. Há muitos casamentos que poderiam ser restaurados se a marcação cerrada fosse substituída pela prodigalidade do amor. É preciso regar a grama para que ela se torne verde e suculenta. Não deixe sua pastagem secar. Não tente erguer muralhas a fim de que seu cônjuge seja impedido de olhar para o pasto do vizinho. Melhore sua pastagem. Melhore sua comunicação. Melhore sua relação sexual. Uma pessoa raramente procurará alimento na mesa do vizinho se há pão com fartura em sua casa. Ninguém busca embriagar-se de amor no colo da mulher alheia se pode saciar-se na sua própria fonte.

### Não ponha fogo na sua casa

Há pessoas que são incendiárias. Elas ateiam fogo e, com sua atitude insana devastam, não apenas coisas, mas também pessoas. Tiago comparou a língua com o fogo. Apenas uma fagulha pode incendiar toda uma floresta. Uma simples guimba de cigarro pode fazer arder em chamas toda uma casa. O fogo tem a capacidade de alastrar-se e levar morte e destruição por onde passa.

A comunicação é o oxigênio do casamento. A língua pode dar vida a um relacionamento ou matá-lo. Há incêndios provocados pelo fogo, mas pela língua. Onde a comunicação é rude, os relacionamentos se tornam cinzas. Vivemos hoje o fenômeno do divórcio progressivo, ou seja, a morte do diálogo. Onde o diálogo morre, o casamento não sobrevive. O divórcio é uma consequência da comunicação enferma.

A carta de Tiago usa três figuras para representar a língua:

Em primeiro lugar, *a língua é como fogo*. O fogo queima, arde e destroi. Aonde ele chega, há pavor, perda e morte. Muitas pessoas são destruídas por comentários maledicentes. A maledicência tem o efeito de um incêndio, espalha-se rápido e leva destruição. Os estragos da maledicência são muitas vezes irreversíveis. É como uma pessoa que do alto de uma montanha espalha um saco de penas. É impossível recolhê-las todas. Uma das características mais acentuadas do fogo é sua capacidade de alastrar-se. Um comentário malicioso corre rápido como um rastilho de pólvora. A fofoca espalha-se célere como fogo em palha seca. O ser humano tem a tendência de crer no pior acerca do seu semelhante. Por isso, um fato negativo, de primeira mão, atinge 55 pessoas, enquanto um fato positivo só alcança dezoito pessoas. As notícias trágicas encontram mais espaço do que as boas. As manchetes de jornais são arrancadas do submundo do crime, e não dos acontecimentos auspiciosos.

Em segundo lugar, *a língua é como veneno*. O veneno mata. Uma pequena dose de veneno pode levar à morte muitas pessoas. A língua é venenosa. Ela é indomável. O homem, com sua perícia, consegue domar os animais do campo, as aves do céu e os peixes do mar, mas não consegue domar sua própria língua. O homem consegue com seu arsenal bélico dominar uma cidade e um país, mas não consegue dominar a si mesmo, nem domesticar sua língua. O veneno da língua é pior do que o veneno da serpente, porque este foi posto nela pelo próprio Criador, mas o veneno da língua procede de dentro do próprio homem. O veneno da cobra pode ser usado como remédio, mas o veneno da língua jamais terá o poder de curar. Onde ele é derramado, produz morte.

Em terceiro lugar, *a língua é como uma fonte*. Uma fonte pode ser instrumento de vida ou morte. Pode ser amarga ou doce. Uma fonte amarga não consegue aliviar a sede nem gerar vida. Ela é uma ilusão, em vez de ser uma bênção. Tem aparência de fonte saudável, mas tem água amarga. As pessoas sedentas se aproximam buscando alívio e encontram apenas o agravamento da sede. A comunicação no lar precisa ser uma fonte doce, e não amarga. Precisamos ser canais de bênção, e não instrumentos de morte. Nossa língua precisa trazer alívio, e não tormento; esperança, e não desesperança; bênção, e não maldição.

## Cuidado com o controle remoto

O controle remoto é uma das coisas mais poderosas da atualidade. Você tem o poder na ponta dos dedos e, com o controle nas mãos, determina o que quer e o que não quer.

O controle remoto faz de você o dono da situação. Você vê tudo e não assiste a nada. Você acessa todos, mas não tem compromisso com ninguém. Você só assiste ao que lhe dá prazer, e, se alguém lhe desagradar, você o manda embora com um simples apertar do botão. Você tem o poder na ponta dos dedos.

O grande problema é quando tentamos transferir o controle remoto para os relacionamentos. Há muitos casamentos onde se tenta monitorar, vigiar e controlar o cônjuge. Ninguém consegue ser verdadeiramente feliz sendo vigiado e controlado. Há casais que parecem estar plugados via satélite e mantêm um rígido controle do cônjuge.

Essa atitude infantil asfixia o cônjuge e o deixa infeliz. Tira sua naturalidade e desrespeita sua individualidade. A tentativa de controle é fruto de insegurança e ciúme. Ela emana de uma auto-estima achatada. O ciúme é uma doença grave com três sintomas bem distintos:

Em primeiro lugar, *uma pessoa ciumenta vê o que não existe*. Ela é capaz de transformar uma fantasia em realidade e sofrer pela fantasia como se fosse realidade. Uma pessoa ciumenta imagina uma situação dramática e curte a dor como se seu delírio fosse a mais pura realidade. Uma pessoa ciumenta é castigada não pelas circunstâncias, mas pelos sentimentos. Ela transforma jardins em desertos, fontes límpidas em charcos lodacentos, flores perfumosas em espinhos pontiagudos. Uma pessoa ciumenta é capaz de visualizar o cônjuge com outra pessoa e sofrer como se o cônjuge estivesse de verdade envolvido na mais repugnante saga de traição. A recompensa da pessoa ciumenta é que normalmente ela aguça no cônjuge aquilo que ele nunca tinha pensado. Uma pessoa ciumenta acaba despertando no cônjuge aquilo que ela mais teme. O ciúme acaba transformando fantasia em realidade! Em segundo lugar, *uma pessoa ciumenta aumenta o que existe*. Quando uma pessoa está dominada pelo ciúme é capaz de julgar um simples olhar do cônjuge para outra pessoa como um apaixonado desejo lascivo. Ela julga as outras pessoas pelos critérios enfermos da sua mente. Toda pessoa ciumenta é maliciosa. Ela vê tudo através das lentes do dolo. Põe maldade em tudo que vê. Julga até o pensamento e as motivações íntimas das pessoas. Sofre porque pensa que todas as pessoas estão tão doentes quanto ela. Jesus disse que, se os nossos olhos forem bons, todo o nosso corpo será luminoso.

Em terceiro lugar, *uma pessoa ciumenta procura o que não quer achar*. Essa é outra ironia que atinge a pessoa ciumenta; ela busca obsessivamente o que jamais gostaria de encontrar. Uma pessoa ciumenta vive mexendo na carteira, nas roupas e no telefone celular do cônjuge à procura de alguma confirmação de suas suspeitas. Uma pessoa ciumenta é masoquista, gosta de sofrer. Ela se alimenta do absinto que jorra da sua própria alma enferma.

### Não passe fome no banquete

O sexo é bom, santo e prazeroso. Depois da salvação, é a coisa mais fantástica que Deus nos deu. Mas o sexo bom, santo e seguro deve ser experimentado de acordo com os princípios e propósitos de Deus. O sexo antes do casamento pode dar prazer, mas não paz interior. Ele viola os princípios de Deus, e contra a prática do sexo antes do casamento, Deus é o próprio vingador. O sexo fora do casamento é uma transgressão da lei de Deus. O adultério tem sido uma das principais causas de lágrimas, vergonha, sofrimento e morte. O sexo é como um rio: quando este corre dentro do seu leito, leva vida por onde passa, mas, quando sai do leito, gera transtorno, caos e morte.

Infelizmente, mesmo no casamento, o sexo tem-se tornado fonte de tensão, e não de prazer. Quero elencar alguns fatores de tensão na vida sexual dentro do casamento:

Em primeiro lugar, *a impureza do sexo*. A Bíblia é clara em afirmar que dignos de honra entre todos são o casamento e o leito sem mácula (Hebreus 13:4). Enganam-se aqueles que pensam que entre marido e mulher, fechada a porta do quarto, vale tudo. Há práticas que são degradantes e ilícitas mesmo entre marido e mulher. Deus criou o corpo perfeito e deu um propósito para cada membro do corpo. Por isso, nossas narinas não são voltadas para cima, porque, se assim fossem, morreríamos afogados na chuva. Nosso rosto precisa da contribuição das mãos para ser limpo, e nossa boca, para ser alimentada. Se tentarmos alterar o que Deus fez perfeito, degradaremos sua criação. Isso também é verdade em relação ao sexo. Muitos casais são influenciados pela indústria da pornografia e não conseguem manter relação sexual senão diante de um vídeo pornô. Há muitos homens viciados em pornografia e, por causa da depravação de seu coração, tentam importar todo o lixo que vêem para o leito conjugal. Muitas mulheres angustiadas têm-me procurado como conselheiro para dizer de sua tristeza e decepção com seu marido. Tenho acompanhado casais que chegam ao fim da linha, ao fundo do poço, à separação, por causa desse vício degradante. Conheci um homem que chegou a ceifar sua própria vida porque não conseguia desvencilhar-se desse cipoal maldito.

Morei nos Estados Unidos nos anos 2000 e 2001, quando fiz um doutorado em Ministério. Nesse tempo, fiz várias viagens a vários estados americanos, pregando em igrejas de várias denominações. Certo dia, recebi um telefonema anônimo de uma mulher desesperada. Seu marido, viciado em pornografia, havia perdido o referencial da decência. Ele a constrangia a ver todas as cenas indecorosas dos filmes pornográficos enquanto se relacionava sexualmente com ela. O vício não é apenas um terrível mal, mas também é progressivo. A pornografia é como uma dependência química: a dose de ontem não serve para hoje. É preciso aumentar a dose a cada dia até levar a pessoa à sucumbência moral. Esse marido começou, então, a seduzir sua esposa para deitar-se com um amigo. Ele queria realizar sua fantasia usando sua mulher como uma prostituta. Esse amigo já estava frequentando assiduamente a sua casa. Era um homem mais jovem e mais atraente que o próprio marido. Nesse momento de pressão, essa mulher me telefonou. Eu disse a ela que, se capitulasse a esse capricho e fantasia do marido, tornar-se-ia uma prostituta e estaria destruída aos seus próprios olhos. Além disso, seu marido, depois desse descalabro, a descartaria como um lixo. Exortei aquela mulher a confrontar seu marido, e, se ele não se arrependesse, ela deveria abandoná-lo. Importava a ela obedecer a Deus, em vez de seguir os caprichos doentios do marido. Meses depois, eu estava pregando numa igreja, e, depois do culto, aproximou-se de mim uma jovem mulher. Ela estendeu-me a mão e disse: "Eu sou a mulher que telefonou para você". Perguntei a ela: "O que aconteceu?".

Ela me respondeu: "Meu marido arrependeu-se, pediu-me perdão e mudou de vida".

A pornografia é infidelidade. Quando um homem leva esse lixo para o leito conjugal, mesmo mantendo relação sexual apenas com a esposa, está adulterando, porque a mulher da sua fantasia não é a esposa, mas aquela que vê no vídeo. Essas imagens fixam-se na retina, descem ao coração e aprisionam a alma.

Há alguns anos, houve uma greve de lixeiros na cidade de Nova York, a capital mundial do consumo. O lixo ficou acumulado por mais de uma semana. A cidade ficou suja e emporcalhada. Um homem teve uma ideia criativa para desvencilhar-se do lixo de sua casa. Colocou-o todo numa grande caixa, embrulhou-a num belo papel de presente e deixou a caixa no porta-malas de seu carro numa rua estratégica. Ficou de longe olhando as pessoas que passavam e cobiçavam o lindo pacote. Até que um espertalhão, não dominou a cobiça, pegou a caixa e correu para casa. Quando abriu a caixa, era lixo. Há muitas pessoas levando lixo para casa. Há muitos casais doentes emocional e espiritualmente porque estão se alimentando de lixo. Há muitos maridos que perderam a alegria espiritual porque estão chafurdados num mar de lama, dragando toda a sujeira do submundo dos *sites* pornográficos.

Em segundo lugar, *a frequência do sexo*. Poucos casais conversam abertamente sobre essa importante questão. Cada pessoa tem um ritmo e uma frequência sexual. Há pessoas que são superativas sexualmente. Não há nenhum mal nisso. Mas quando um homem sexualmente energético se casa com uma mulher que não tem o sexo como sua prioridade, e esse casal não conversa de forma franca sobre o assunto, isso produz grandes tensões no relacionamento. O contrário também é verdade. Às vezes, é a mulher que é mais ativa sexualmente. Atendi um casal que veio para aconselhamento. Depois de quinze anos de vida conjugal, eles estavam se separando. Quando procurei saber as causas, o marido me respondeu, com voz alterada: "Pastor, a minha mulher não se interessa pelo sexo". A esposa respondeu no mesmo tom: "Pastor, este homem só pensa em sexo". Embora fosse um casal instruído, eles nunca tinham conversado sobre a questão da frequência sexual. Aquele marido queria sexo todos os dias. Ela se contentava com duas relações por semana. É que para eles o sexo tinha pesos diferentes. Aconselhei-os a tirar uma média. Mostrei-lhes que o amor não é "egocentralizado", mas "outrocentralizado". A questão não é quanto eu quero, mas quanto meu cônjuge quer a relação sexual. Meu papel no casamento é satisfazer o meu cônjuge, e não apenas a mim mesmo.

Uma mulher, depois de uma longa sessão de aconselhamento, disse-me: "Pastor, meu marido não gosta de mim; ele só gosta da casca, ele só se interessa pelo meu corpo". Depois de várias sessões de aconselhamento, percebi que não havia nenhum problema sério entre aquele casal. O problema é que eles não conheciam um ao outro suficientemente para perceber qual era o valor do sexo para cada um.

Em terceiro lugar, *a chantagem do sexo*. O sexo é uma arma poderosa e, por isso, muito perigosa. Não há perigo maior no casamento do que a chantagem sexual. Não faça do sexo uma arma, pois a vítima pode ser você.

O apóstolo Paulo alerta para esse grande perigo em 1Coríntios 7:3-5. Vejamos as principais orientações do apóstolo sobre esse momentoso assunto:

Em primeiro lugar, *mulher e marido têm direitos garantidos no relacionamento sexual*. O texto diz: "O marido conceda à esposa o que lhe é devido; e também, semelhantemente, a esposa, a seu marido" (1Coríntios 7:3). Qual é o direito da mulher na relação sexual? O orgasmo! Deus criou a mulher com a capacidade de sentir prazer sexual. O prazer não é pecaminoso, mas santo e bom. O marido sensível está atento a esse direito de sua mulher. Há algumas culturas que, ainda hoje, usurpam esse sagrado direito da mulher. Li, algures, que, em certa cultura africana, as jovens adolescentes têm seu clitóris arrancado com uma faca, porque julgam que a mulher honesta não pode sentir prazer sexual. Isso é uma agressão abominável e um preconceito vil. Paulo, no século 1, proclama que a mulher tem o mesmo direito sexual que o homem.

Muitos maridos, ainda hoje, são despercebidos ou insensíveis às necessidades sexuais do seu cônjuge. Desconhecem ou desprezam o fato de que o sexo para a mulher não é apenas o ato sexual, mas envolve o romantismo, o carinho e o afeto. Marabel Morgan, em seu livro *A mulher total*, diz que o sexo começa no café da manhã. Se o marido não trata a esposa com carinho durante o dia, ele não terá uma mulher afetuosa na cama. O homem é um ser mais explosivo sexualmente. Ele é capaz de ter uma ereção com dez segundos e estar pronto para a relação sexual. Mas a mulher não é assim. O aquecimento dela é mais lento, nem por isso menos intenso. O sexo de qualidade, para a mulher, exige prelúdio, preparação e aquecimento. Para usar uma linguagem esportiva, há homens que entram em campo sem aquecimento e querem decidir o jogo nos pênaltis, sem jogar os noventa minutos. Isso pode dar ao homem uma sensação de alívio, mas produz uma grande frustração na mulher.

Em segundo lugar, *marido e mulher não podem privar um ao outro do relacionamento sexual.* Paulo ainda prossegue: "O marido não tem poder sobre o seu próprio corpo e sim a mulher, e a mulher não tem poder sobre o seu próprio corpo e sim o marido" (1Coríntios 7:4). A Palavra de Deus não tem constrangimento em tratar da questão sexual com total abertura. Ela põe por terra os mitos que se espalharam por mentes desprovidas da verdade, insinuando que o pecado original foi o sexo, e que Adão e Eva caíram porque comeram a maçã. O sexo foi ordenado por Deus antes da Queda. O sexo, como criado e prescrito por Deus, é bom, santo e deleitoso. Dessa forma, o cônjuge é uma fonte de prazer e não deve privar seu consorte desse privilégio. A proibição apostólica toca diretamente a questão da chantagem sexual. Negar o sexo ao cônjuge é um atentado contra um direito sagrado que Deus lhe deu.

Obviamente, essa entrega não deve ser por força nem por constrangimento. O casamento é construído sobre o fundamento do amor. Quem ama, entrega-se voluntariamente.

Em terceiro lugar, *o sexo no casamento é uma ordem divina.* O apóstolo Paulo é enfático: "Não vos priveis um ao outro, salvo talvez por mútuo consentimento, por algum tempo, para vos dedicardes à oração e, novamente, vos ajuntardes, para que Satanás não vos tente por causa da incontinência" (1Coríntios 7:5). O sexo antes e fora do casamento é pecado, mas no casamento é uma ordenança. O sexo fora do padrão de Deus é pecado, mas a ausência de sexo no casamento, segundo os princípios de Deus, também é pecado. O sexo entre marido e mulher é a expressa vontade de Deus. É uma fonte de prazer e uma proteção contra a tentação.

O apóstolo chega a dizer que a abstinência sexual entre marido e mulher não pode ser por qualquer motivo. Somente quando o casal tem uma causa séria a apresentar diante de Deus, por meio da oração, pode abster-se do relacionamento sexual. É a única vez que Paulo diz que se não deve orar por longo tempo. "[...] e, novamente, vos ajuntardes [...]" (1Coríntios 7:5). Há muitos cônjuges que privam um ao outro da relação sexual, com a justificativa de que estão jejuando e orando. Não há nenhum problema com a oração e o jejum, desde que essas práticas devocionais não sejam um substituto da relação sexual.

Paulo também diz que a abstinência não pode ser unilateral. Deve ser sempre por mútuo consentimento. O marido não pode sonegar à esposa o prazer sexual, nem esta, a ele. Esse período de abstinência para se dedicar à oração deve ser um acordo dos dois e jamais de um só. Há casos, porém, que mesmo os dois estando de acordo, não é recomendável. Por isso, Paulo usou um *talvez*. "[...] salvo talvez por mútuo consentimento". Um casal me procurou para aconselhamento. Demonstrou interesse em participar da nossa congregação. Mas, depois de uma longa conversa, a mulher me disse: "Pastor, há uma coisa que preciso lhe dizer". Respondi: "Estou a seu dispor para ouvi-la". Ela olhou em meus olhos e disparou: "Faz vinte anos que eu e meu marido não temos relações sexuais". Antes que eu dissesse qualquer coisa, ela foi logo acrescentando: "Mas nós tomamos essa decisão de comum acordo". Eu disse àquele casal que Ananias e Safira também entraram em acordo para mentir ao Espírito Santo, e nem por isso foram inocentados. Mesmo que a decisão tenha sido tomada pelo casal, a atitude estava em desacordo com o ensino das Escrituras.

Paulo justifica esse cuidado: "[...] para que Satanás não vos tente por causa da incontinência" (1Coríntios 7:5). A abstinência sexual entre marido e mulher pode ser um laço, uma armadilha, um grave perigo. Se o cônjuge não encontra no leito conjugal a satisfação para suas necessidades sexuais, Satanás entra na jogada e trama contra esse casal. No começo de meu ministério, recebi um telefonema anônimo denunciando um membro da igreja de adultério. Chamei-o, confrontei-o, mas ele negou. Passados alguns dias, a mesma pessoa voltou a ligar alertando-me para o mesmo fato. Voltei a conversar com aquele homem. Então, quebrantado e chorando muito, disse-me que estava vivendo em adultério havia vários meses. Justificou sua queda: "Pastor, minha esposa não atende a minhas carências afetivas nem me corresponde sexualmente. Sempre que eu a procuro, ela se desculpa que está cansada ou com dor de cabeça". Aquele homem estava caído, mas sua mulher era corresponsável por sua queda. Ela abriu uma brecha para Satanás cirandar com seu marido. A chantagem sexual tem sido a causa de muitos adultérios. É difícil, um cônjuge satisfeito sexualmente no casamento se render à sedução barata da infidelidade conjugal.

### Espinhos no colchão

Passamos quase um terço da nossa vida em cima de um colchão. O melhor investimento que podemos fazer para o nosso conforto é dormir num colchão macio. Se há espinho no colchão, não descansamos, não relaxamos, não temos prazer em ir para a cama.

Quando você vai para a cama com o coração pesado, porque seu cônjuge foi rude, insensível e feriu você com palavras, gestos e atitudes, você não descansa, a noite torna-se longa, e o colchão, cheio de espinhos.

A Bíblia diz que é melhor morar no eirado ou no deserto do que com a mulher rixosa. Ninguém consegue relaxar quando a pessoa que deveria ser uma fonte de prazer entope seus ouvidos de queixumes e lamentos. Ninguém consegue ser feliz quando é incompreendido pela pessoa que você mais ama. Durante os mais de vinte anos de aconselhamento pastoral, tenho concluído que muitos cônjuges estão estressados e desgastados um com o outro. O casamento deixou de ser uma fonte de prazer, para ser um laboratório de tensões. Em vez de o relacionamento estar azeitado pela harmonia, está ferido pelo atrito. Há muitas picuinhas e intolerâncias. Há muitos caprichos mesquinhos que ferem o cônjuge. Na verdade, o que está acabando com a maioria dos casamentos hoje não são os grandes problemas, mas os pequenos. Quando eles não são tratados no tempo certo, da maneira certa, esses pequenos problemas se tornam uma bola de neve.

O livro de Cantares fala das raposinhas que devastam as vinhas em flor. Esses animais são pequenos, mas provocam uma grande devastação. Elas destroem não os frutos, mas as flores. É um ataque sutil e imperceptível. Assim também são os problemas que vão surgindo no casamento. Se detectados e resolvidos no início, eles têm solução, mas, postergados, podem se tornar insolúveis.

### Não durma com um gambá

O gambá é um animal que nunca gostamos de tê-lo por perto. Ele cheira mal. A Bíblia nos alerta sobre o problema da amargura. Ela cria raiz, perturba e contamina (Hebreus 12:15). A palavra "amargura" na língua grega tem a ideia de cheiro de gambá ou cheiro de ovo podre.

É impensável você passar a noite num ambiente contaminado por cheiro de gambá. Mas, quando uma pessoa está amargurada, ela tem cheiro de gambá. O autor de Hebreus destaca três coisas sobre a amargura:

Em primeiro lugar, *a amargura brota e cria raízes*. Ela finca seus tentáculos em nós e arraiga-se em nós com toda a sua força. Ela se alimenta dos nossos sentimentos mais primitivos. Ela nos domina e nos encharca com o seu veneno. Ela atinge nossa alma e nosso corpo. Ela afeta nossa razão e nossos sentimentos. Ela cega nossos olhos, retine em nossos ouvidos, acelera nosso coração, adoece nosso corpo e atormenta nossa alma. Onde essa raiz maldita se espalha, a vida torna-se amarga.

Em segundo lugar, *a amargura perturba aquele que a carrega*. Uma pessoa amargurada vive perturbada. Não tem paz consigo mesma, não tem paz com Deus, não tem paz com o próximo. Uma pessoa amargurada vive atormentada pelos flageladores. Vive aprisionada sob algemas. Vive no cativeiro do diabo. Quem nutre amargura no coração, não conhece o perdão; e quem não perdoa, não pode orar, nem adorar, nem contribuir, nem mesmo ser perdoado. Quem não perdoa, adoece. Quem não perdoa, é um solitário infeliz no deserto da vida. Sem perdão, não há casamento saudável. O perdão é um ingrediente indispensável na vida. Somos imperfeitos. Casamo-nos com uma pessoa imperfeita. Por isso, não podemos evitar que, na caminhada da vida, tenhamos motivos de queixa uns contra os outros. Nós decepcionamos nosso cônjuge, e nosso cônjuge nos decepciona. O nosso cônjuge, muitas vezes, transforma-se num ladrão da nossa alegria. A pessoa que mais amamos, não poucas vezes, é aquela que abre as feridas mais profundas em nossa alma. O remédio para curar essas feridas não é o tempo nem o silêncio, mas a terapia do perdão. O perdão deve ser completo, imediato e incondicional. O perdão não exige justiça; demonstra misericórdia. Ele não faz registro permanente dos erros do outro, mas perdoa a dívida sem exigir nada em troca. O perdão não é uma amnésia. Jamais esquecemos as coisas que nos sobrevêm. Elas ficam registradas no escrínio da nossa memória. Isso é um fato inexorável. Mas, então, o que a Bíblia quer dizer quando diz que Deus perdoa e esquece e que devemos perdoar como Deus perdoa? Será que Deus tem amnésia? Absolutamente, não! É que, quando Deus nos perdoa, jamais nos cobra aquilo que já foi cancelado!

Em terceiro lugar, *a amargura contamina os outros*. É quase impossível conviver com uma pessoa azeda e amarga sem ser atingido pelos respingos desse veneno. Uma pessoa amargurada não só adoece, mas inferniza quem está do seu lado. Uma pessoa amargurada é portadora de doença, e não de saúde; é instrumento de morte, e não de vida.

Se você não enfrentar esse pecado na sua vida, vai dormir com o gambá. E quem dorme com gambá, fica com cheiro de gambá.

# 2

# A receita de Deus para a felicidade no casamento

Uma olhada no passado nos ajuda a entender o presente. Interpretamos melhor os nossos dias quando temos uma visão mais clara de como foi o passado. Um dos maiores problemas da civilização antiga era o pequeno valor dado às mulheres. Elas eram vistas não como pessoas, mas como propriedade do pai e, depois, do marido. Vejamos esse fato nas culturas judaica, grega e romana.

Em primeiro lugar, *o valor da mulher na cultura judaica*. Os judeus tinham um baixo conceito das mulheres. Os judeus, pela manhã, agradeciam a Deus por Ele não lhes ter feito um pagão, um escravo ou uma mulher. As mulheres não tinham direitos legais. Elas eram propriedade do pai quando solteiras e, do marido quando casadas. Na época em que a Igreja cristã nasceu, o divórcio era tragicamente fácil.

Um homem podia divorciar-se por qualquer motivo, pelo simples fato da mulher ter posto muito sal em sua comida ou sair em público sem véu. A mulher não tinha nenhum direito ao divórcio, mesmo que seu marido se tornasse um leproso, um apóstata ou se envolvesse em coisas sujas. O marido podia divorciar-se por qualquer motivo, enquanto a mulher não podia divorciar-se por nenhum motivo. Quando nasceu a Igreja cristã, o laço matrimonial estava em perigo dentro do judaísmo.

Em segundo lugar, *o valor da mulher na cultura grega*. A situação era pior no mundo helênico. A prostituição era uma parte essencial da vida grega. Demóstenes disse: "Temos prostitutas para o prazer; concubinas para o sexo diário e esposas com o propósito de ter filhos legítimos". Xenofonte afirmou: "A finalidade das mulheres é ver pouco, escutar pouco e perguntar o mínimo possível". Os homens gregos esperavam que a mulher cuidasse da casa e dos filhos, enquanto eles buscavam prazer fora do casamento. Na Grécia, não havia processo para divórcio. Era matéria simplesmente de capricho. Na Grécia, o lar e a vida familiar estavam próximos de extinguir-se, e a fidelidade conjugal era absolutamente inexistente.

Em terceiro lugar, *o valor da mulher na cultura romana*. Nos dias de Paulo, a situação em Roma era ainda pior. A degeneração de Roma era trágica. A vida familiar estava em ruínas. Sêneca disse: "As mulheres se casam para divorciar e se divorciam para casar". Os romanos ordinariamente não datavam os anos com números, mas com os nomes dos cônsules. Sêneca disse: "As mulheres datavam seus anos com os nomes de seus maridos". O poeta romano Marcial nos fala de uma mulher que teve dez maridos. Juvenal fala de uma que teve oito maridos em cinco anos. Jerônimo afirma que em Roma vivia uma mulher casada com seu vigésimo terceiro marido. A fidelidade conjugal em Roma estava quase em total bancarrota. Paulo escreveu Efésios 5:22-33 nesse contexto de falência da virtude e desastre da família. Paulo apontava para algo totalmente novo e revolucionário naqueles dias.

O conceito de família está confuso ainda hoje. Há confusão de papéis. O novo Código Civil brasileiro parece não reconhecer a diferença de papéis. Reconhece-se a legitimidade de relações que a Bíblia chama de adultério. As relações homossexuais se tornam cada vez mais aceitáveis. A infidelidade atinge mais de 50% dos casais. O índice de divórcios aumenta assustadoramente. A cultura pós-moderna está voltando às mesmas práticas reprováveis dos tempos primitivos.

## A posição da esposa (Efésios 5:22-24)

O apóstolo Paulo ordena que a mulher seja submissa a seu marido. John Mackay diz que uma das maiores artimanhas do inimigo é esvaziar o sentido das palavras. Nenhuma palavra foi mais distorcida do que "submissão". Precisamos, então, antes de avançarmos, parar um pouco para compreender o significado deste termo.

### O que não é submissão

Dois pontos precisam ser destacados:

Em primeiro lugar, *submissão não é inferioridade*. Devemos desinfetar a palavra "submissão" de seus sentidos adulterados. A mulher não é inferior ao homem. Ela é tão imagem de Deus quanto o homem. Ela foi tirada da costela do homem, e não dos seus pés. Ela é auxiliadora idônea (aquela que olha nos olhos), e não uma escrava. Aos olhos de Deus, ela é coigual com o homem (Gálatas 3:28; 1Pedro 3:7). Ao longo dos séculos, a mulher foi humilhada, agredida e espoliada de seus direitos. A cultura machista, por muitos séculos, sonegou à mulher direitos legítimos concedidos a ela por Deus. Em muitas culturas, a mulher não tinha o direito de votar, de trabalhar fora do lar, de frequentar os templos religiosos, nem mesmo de separar-se de um marido infiel e despótico. Conforme já mencionei, li recentemente que numa tribo africana as adolescentes eram submetidas a uma cirurgia grotesca, onde o clitóris era removido porque era ilícito à mulher sentir prazer. A mulher foi e ainda é vista, em algumas culturas, como uma coisa, um objeto, uma propriedade do homem, para o uso abusivo dele. Esse nunca foi o propósito de Deus nem possui qualquer fundamento nas Escrituras Sagradas. A mulher é vista na Bíblia como alguém digno de ser amado a ponto de o homem ter de deixar pai e mãe para unir-se a ela, formando com ela uma só carne. A mulher é a coroa do homem. Quem acha uma esposa, acha o bem e encontrou a benevolência do Senhor. Uma mulher virtuosa vale mais do que dinheiro, do que riqueza. Seu valor excede o de finas joias.

Em segundo lugar, *submissão não é obediência incondicional*. A submissão da esposa ao marido não é absoluta nem incondicional. A submissão da esposa ao marido não pode contrariar a submissão dela a Jesus. Ela é submissa ao marido enquanto sua sujeição a ele não comprometer sua fidelidade a Cristo. Somente a Cristo prestamos uma submissão absoluta e exclusiva. Todos nós somos *doulos*, servos de Cristo. Nunca se afirma, porém, que a esposa deva ser escrava ou serva do marido. Nossa relação com Jesus é uma relação de submissão completa, inteira e absoluta. Isso porque Jesus é um Senhor generoso que nos amou e nos ama com amor eterno e por nós deu a Sua própria vida. Uma mulher não está obrigada a submeter-se a um marido que a constrange a ser infiel a Cristo. Antes importa obedecer a Deus que aos homens. Se a submissão da esposa ao marido implicar a sua insubmissão a Cristo, ela precisa desobedecer ao marido para obedecer a Cristo.

## O que é submissão

Destacamos quatro pontos fundamentais acerca do verdadeiro significado da mulher ser submissa ao marido:

Em primeiro lugar, *é ser submissa ao marido por causa de Cristo*. A submissão da esposa ao marido não é igual à submissão a Cristo, mas por causa de Cristo. A submissão da esposa ao marido é uma expressão de sua submissão a Cristo. A esposa se submete ao marido por amor e obediência a Cristo. A esposa se submete ao marido para a glória de Deus (1Coríntios 10:31), e para que a Palavra de Deus não seja blasfemada (Tito 2:3-5). O cristianismo resgatou o verdadeiro sentido da submissão. Uma esposa cristã se sujeita ao marido com alegria e espontaneidade. Ela o faz não por constrangimento ou obrigação, mas por que entende que agindo assim glorifica ao Senhor Jesus. A motivação mais excelente da esposa para se submeter ao marido é exaltar o Senhor Jesus. Ela faz tudo para agradá-lo e, agradando-o, pavimenta o caminho da sua felicidade conjugal.

Em segundo lugar, *a submissão da esposa ao marido é sua liberdade*. A submissão não é escravidão, mas liberdade. A verdade liberta. Eu só sou um cidadão livre quando obedeço às leis do meu país. Eu só tenho liberdade para dirigir meu carro quando obedeço às leis de trânsito. Um trem só é livre para correr e transportar com segurança as pessoas quando corre sobre os trilhos. Uma pessoa só arranca sons sublimes de um piano quando toca de acordo com as notas musicais. A submissão aos preceitos de Deus não escraviza, mas liberta. O pecado escraviza, mas a graça nos traz liberdade. É um engano pensar que uma esposa que se submete ao marido é infeliz, insegura e inferior. É um equívoco pensar que a submissão é um atestado de inferioridade. As mulheres mais livres e felizes são aquelas que vivem dentro do padrão de Deus, que obedecem à Palavra de Deus e vivem os princípios estabelecidos por Deus. Fora da vontade Deus, reina a frustração. Uma mulher insubmissa ao marido conspira contra si mesma, contra o marido e contra Deus. A Bíblia diz que o pecado da rebelião é como o da feitiçaria. Uma mulher insubmissa ao marido não é livre, mas escrava do pecado, e na escravidão não existe felicidade verdadeira.

Em terceiro lugar, *a submissão da esposa ao marido é sua glória*. Assim como a glória da Igreja é ser submissa a Cristo, também a submissão da mulher ao marido é sua glória (Efésios 5:24). A Igreja só é bela quando se submete a Cristo. A submissão da Igreja a Cristo não a desonra nem a desvaloriza. A Igreja só é feliz quando se submete a Cristo. Quando a Igreja deixa de se submeter a Cristo, perde sua identidade, seu nome, sua reputação, seu poder. A submissão não é a um senhor autoritário, autocrático, déspota e insensível, mas a alguém que a ama a ponto de dar sua vida por ela. A mesma Bíblia que ordena à mulher ser submissa ao marido, ordena esse marido a amar sua mulher como Cristo amou a Igreja. Não existem dois pesos e duas medidas. Aliás, a exigência feita ao homem é mais ampla, mais intensa e mais profunda. Se a mulher é convidada a imitar a Igreja, o marido é convidado a imitar Cristo. O padrão que o homem deve seguir é mais alto.

Em quarto lugar, *a submissão da esposa não é a um marido tirano, mas a um marido que a ama como Cristo ama a Igreja*. O Cabeça do corpo é também o Salvador do corpo; Cristo, como Cabeça da Igreja, amou-a, serviu-a e morreu por ela. Como já afirmamos, a exigência de Deus ao marido é maior do que a exigência feita à esposa. Cabe ao marido amar sua mulher como Cristo amou a Igreja. O amor do marido deve ser perseverante, santificador, sacrificial, romântico e restaurador. Não é difícil para uma mulher ser submissa a um marido que a ama como Cristo amou a Igreja.

## A posição do marido (Efésios 5:25-33)

Se a palavra que caracteriza o dever da esposa é "submissão", a palavra que caracteriza o dever do marido é "amor". O marido nunca deve usar sua liderança para esmagar ou sufocar a esposa. O marido sábio nunca tenta anular a personalidade da esposa. A ênfase de Paulo não está na autoridade do marido, mas no amor do marido (Efésios 5:25,28,33).

O que significa ser submisso? É entregar-se a alguém. O que significa amar? É entregar-se por alguém. Assim, submissão e amor são dois aspectos da mesmíssima coisa.

### Os cinco verbos que definem a ação do marido

O apóstolo Paulo elenca no texto em tela cinco verbos que definem claramente o papel do marido.

Em primeiro lugar, *amar*. O amor de Cristo pela Igreja é proposital, sacrificial, santificador, altruísta, abnegado e perseverante. Assim também, o marido deve amar a esposa. O verdadeiro amor busca a realização da pessoa amada mais do que o seu próprio bem-estar. Quem ama, doa-se. Quem ama, sacrifica-se. Quem ama, busca o bem da pessoa amada. Quem ama, enfrenta as crises sem desistir. A Bíblia diz que o amor é mais forte do que a morte e que nem todas as águas dos oceanos podem afogá-lo. O amor é guerreiro, combativo. O amor não desiste nunca de lutar, viver e morrer pela pessoa amada.

Em segundo lugar, *entregar-se*. Um amor não egoísta, mas devotado à pessoa amada. Cristo amou a Igreja e se entregou por ela. Cristo não apenas falou; Ele demonstrou. Ele não apenas fez um discurso emocional e romântico, mas deu provas do Seu amor ao morrer pela Igreja. O amor vai muito além do que é apenas romantismo. O amor verdadeiro se traduz em ação. O amor que não se entrega é uma caricatura grotesca do verdadeiro amor.

Em terceiro lugar, *santificar*. O amor visa o bem da pessoa amada. O amor não torna a vida do outro uma prisão, uma antessala do inferno. O amor visa o bem da pessoa amada, e não a sua ruína. Muitas pessoas dizem que amam, mas transformam a vida da pessoa amada numa tragédia. Esse amor sufocante, doentio, possessivo e ciumento é uma distorção repugnante do verdadeiro amor.

Em quarto lugar, *purificar*. O amor busca a perfeição da pessoa amada. Uma esposa amada é protegida e santificada pelo amor do marido. A falta de amor expõe o cônjuge a perigos. Quando um cônjuge é mal amado em casa, ele se torna vulnerável. Muitas quedas dolorosas acontecem por carência afetiva. Muitos cônjuges caem no laço do adultério porque não recebem em casa atenção e amor do cônjuge.

Em quinto lugar, *apresentar*. O casamento judaico tinha quatro etapas. A primeira etapa era o compromisso do noivado. Esse compromisso era assumido diante de testemunhas, onde se firmava uma aliança. Um noivado só poderia ser interrompido pelo divórcio. José era noivo de Maria, ou seja, estava comprometido com ela e não poderia deixá-la senão por meio do divórcio. A segunda etapa era a preparação, quando o noivo pagava o dote pela noiva, e a noiva se preparava para o casamento. A terceira etapa era a procissão do noivo com seus convivas, ao som de música, até à casa da noiva. E, finalmente, a festa das núpcias, quando o noivo levava a noiva para casa. Todas essas etapas nos falam do sublime relacionamento de Cristo com sua Igreja. Cristo nos amou desde toda a eternidade. Ele pagou um alto preço por sua noiva, dando sua própria vida por ela. Agora, a noiva está se preparando para a chegada do noivo. Em breve, o noivo virá ao som da trombeta, entre nuvens, acompanhado por séquito celestial, buscar a sua noiva. Então, com um corpo glorificado estaremos para sempre com Ele, na casa do Pai, numa festa que jamais terá fim.

## O marido deve cuidar da vida espiritual da esposa (Efésios 5:25b-27)

O marido é o responsável pela vida espiritual da esposa e dos filhos. Ele é o sacerdote do lar. O marido precisa buscar a santificação da esposa. O marido deve ser a pessoa que exerce a maior influência espiritual sobre a esposa. Ele deve ser uma bênção na vida dela e liderá-la espiritualmente.

O marido deve ser um homem de Deus. Seu alvo é ser um homem cheio do Espírito Santo que tenha uma linguagem abençoadora e atitudes edificadoras. O marido precisa ser um intercessor, um encorajador, um consolador e um aliviador de tensões. Nada fere mais uma mulher do que palavras rudes e atitudes grosseiras. Nada destroi mais a vida interior de uma esposa do que ter uma marido amargo, crítico e truculento nas palavras e atitudes.

O marido precisa ser um homem de oração. Ele deve ser um modelo de piedade. Sua vida deve falar mais alto do que suas palavras. Ele deve inspirar sua esposa a andar com Deus pela beleza de seu testemunho. O marido precisa ser, outrossim, um estudioso da Palavra. Para ser o líder espiritual de sua casa, ele precisa ter conhecimento das Escrituras. É impossível ser um líder sem conhecer a verdade, amar a verdade, viver a verdade e proclamar a verdade. Não podemos dar o que não temos. Não podemos ensinar com autoridade o que não vivemos.

Por essa razão, o casamento misto cria uma dificuldade para que esse princípio seja cumprido. Como um marido inconverso pode liderar espiritualmente sua casa? Como pode santificar a vida da esposa, se ele ainda não conhece o Senhor? Como pode ser uma bênção na vida da esposa, se ele mesmo ainda está em trevas? A Bíblia é clara em afirmar que não há comunhão entre trevas e luz.

## O marido deve cuidar da vida emocional da esposa (Efésios 5:28,29)

O marido fere a si mesmo ferindo a esposa. Crisóstomo disse que assim como o olho não trai o pé colocando-o na boca da cobra, da mesma forma, um marido não trairia a esposa, pois, ao fazê-lo, estaria ferindo a si mesmo. O marido deve tratar a esposa com sensibilidade, como o vaso mais frágil. Ele deve viver a vida comum do lar para que suas orações não sejam interrompidas (1Pedro 3:7). A maneira de ele lidar com a esposa reflete-se diretamente em seu relacionamento com Deus. Nenhum homem pode ter intimidade com Deus e, ao mesmo tempo, maltratar a esposa. Nenhum marido pode ter uma relação estreita com Deus e, ao mesmo tempo, ter uma relação conflituosa com a esposa. A vida conjugal harmoniosa é o alicerce para uma vida espiritual abundante.

Como o marido deve cuidar da esposa? Como o marido deve tratar a esposa?

Em primeiro lugar, *ele não deve abusar dela*. Um homem pode abusar do seu corpo, comendo ou bebendo em excesso. Um homem que faz isso é néscio, porque, ao maltratar seu corpo, ele mesmo vai sofrer. O marido que maltrata a esposa está fora de si. Ele machuca a si mesmo ao ferir a esposa. Um marido abusa da esposa quando é rude com ela, não lhe dá o tempo que ela merece, priva-a da atenção que ela precisa, sonega-lhe o carinho que ela merece, ou usa palavras indelicadas e gestos grosseiros para humilhá-la. O marido abusa da esposa quando deixa de devotar a ela a plenitude do seu amor e corre atrás da estranha, sendo infiel à mulher da sua aliança.

Em segundo lugar, *ele não deve descuidar dela*. Um homem pode descuidar do seu corpo. E se o faz é néscio e sofrerá por isso. Se você estiver com a garganta inflamada, não pode cantar nem pregar. Todo o seu trabalho é prejudicado. Você tem ideias, mensagem, mas não pode transmiti-las. O marido descuida da esposa com reuniões intérminas, com televisão, com Internet, com roda de amigos. Há viúvas de maridos vivos. Maridos que querem viver a vida de solteiros. O lar é apenas um albergue. É preciso entender que quem casa precisa assumir a vida de casado. O casamento não é uma prisão, mas também não é uma campina sem limites. O casamento é uma aliança, onde ambos os cônjuges assumem compromissos e responsabilidades de fidelidade. Ambos precisam dizer um ao outro: "Eu sou do meu amado, e o meu amado é meu".

Em terceiro lugar, *o marido deve zelar pela esposa*. O marido alimenta a esposa e cuida dela. Como o homem sustenta o corpo? D. Martyn Lloyd-Jones nos ajuda a entender esse ponto, falando sobre quatro coisas:

a) *Dieta*. Um homem deve pensar em sua dieta, em sua comida. Deve ingerir alimentos suficientes, e com regularidade. O marido também deveria pensar no que ajudará sua esposa. O cuidado deve ser constante, e não apenas nos tempos áureos da juventude. O cuidado deve ser fruto do amor, e não do interesse. Assim como Deus cuida de nós quando nos tornamos fracos e doentes, o marido também deve cuidar da esposa. O presidente do Seminário de Princeton, John Mackay, depois da festa de núpcias, passou a lua-de-mel com sua jovem esposa na Europa. Nessa viagem, ela sofreu um acidente grave e nunca mais conseguiu andar, ficou confinada a uma cama e não pode desempenhar plenamente seu papel de esposa. John Mackay cuidou da sua mulher até o fim com grande desvelo. Jamais a abandonou até o dia que o Senhor a chamou para viver com Ele.

b) *Prazer e deleite*. Quando ingerimos nossos alimentos, não só pensamos em termos de calorias ou proteínas. Não somos puramente científicos. Pensamos também naquilo que nos dá prazer. O marido deve tratar a esposa dessa maneira. Ele deve pensar no que a agrada. O marido deve ser criativo no sentido de sempre alegrar e agradar a esposa. A felicidade conjugal é construída pelas pequenas coisas. São palavras, gestos, atitudes e atenção que cimentam uma relação robusta e feliz. Nenhum casal é automaticamente feliz. A felicidade conjugal é resultado de um trabalho dedicado e perseverante.

c) *Exercício*. A analogia do corpo exige mais esse ponto. O exercício é fundamental para o corpo. O exercício é igualmente essencial para o casamento. É o diálogo. É a quebra da rotina desgastante. A comunicação é o oxigênio do casamento. Palavras e gestos precisam construir pontes para um relacionamento harmonioso e feliz, e não cavar abismos para separar. O apóstolo Paulo nos ensina que o dever da esposa é respeitar, e o dever do marido é merecer o respeito (Efésios 5:33).

d) *Carícias*. A palavra "cuidar" só aparece em Efésios 5:29 e em 1Tessalonicenses 2:7. A palavra grega significa "acariciar". O marido precisa ser sensível às necessidades emocionais e sexuais da esposa. 98% das mulheres reclamam da falta de carinho. O marido precisa aprender a ser romântico, cavalheiro, gentil, cheio de ternura. Um marido sábio investe no casamento. Quanto mais ele semeia nesse canteiro, mais ele colhe os frutos doces desse investimento.

## O marido deve cuidar da vida física da esposa (Efésios 5:30)

O marido deixa todos os outros relacionamentos para concentrar-se em sua esposa, ou seja, deve amar a esposa com um amor que transcende todas as outras relações humanas. Ele deixa pai e mãe para unir-se à sua mulher, tornando-se uma só carne com ela (Gênesis 2:24). Sua atenção se volta para sua mulher. Seu propósito é agradá-la. Quando a Bíblia diz que os dois se tornam uma só carne, está referendando a legitimidade e a santidade do sexo no casamento. O sexo é bom e uma bênção divina na vida do casal. Deve ser desfrutado plenamente, mas em santidade e pureza (1Coríntios 7:3-5; Provérbios 5:15-19).

Numa época como a nossa, marcada pela falência da virtude, o enfraquecimento da família e a explosão do divórcio, o conceito bíblico do casamento deve ser com mais frequência difundido.

# 3

# Mantendo a alegria no casamento

Deus criou o casamento e estabeleceu os princípios para sua felicidade. Se quisermos construir um casamento feliz, precisamos nos voltar para a antiga e eterna Palavra de Deus, e não para os terapeutas contemporâneos. O texto de João 2:1-11 oferece-nos algumas dicas importantes que servem de mapa para um casamento feliz.

A caminhada conjugal não é uma estrada reta rumo à felicidade, mas um caminho cheio de curvas e precipícios. O casamento não é uma fortaleza inexpugnável que está livre dos ataques que vêm de dentro nem um tesouro guardado numa redoma de vidro, blindado contra toda sorte de investidas e pressões internas. A caminhada conjugal é uma aventura diária em que não pode faltar o investimento e a renúncia. Sem o cimento do amor, sem a doçura da comunicação e sem a constância da comunhão com Deus, o casamento não consegue suportar os inimigos que vêm de fora nem as pressões que surgem de dentro. Mas se o casal atentar para os princípios de Deus, conforme preceitua as Escrituras, ele pode fazer uma viagem segura pelas estradas sinuosas da vida e chegar são e salvo ao destino final, tendo a certeza de que a mão do Eterno o guiou e protegeu ao longo da jornada.

Olhemos para o texto de João 2:1-11 e consideremos suas preciosas lições.

### Convide Jesus para o seu casamento

Jesus foi convidado para aquela festa de casamento. Sua presença ali foi requisitada e desejada. Jesus atendeu ao convite e participou daquela festa regada de profusa alegria. Jesus participa conosco das nossas celebrações. Ele Se identifica conosco quando nossa alma transborda de alegria.

A maior necessidade da família não é de mais dinheiro, mas da presença de Jesus. A maior necessidade de um casal não é morar numa casa mais bonita, ter um carro mais novo ou mesmo um emprego mais seguro, mas convidar Jesus para estar presente em sua casa. Nenhuma coisa ou pessoa pode substituir a presença de Jesus na família. O dinheiro pode comprar casa, mas não um lar; pode comprar bens, mas não amor; pode comprar remédios, mas não saúde; pode comprar ritos sagrados, mas não vida eterna. As coisas mais importantes da vida não podem ser adquiridas com dinheiro. A felicidade não é tanto aonde se chega, mas como se caminha.

O lar feliz é aquele que é construído sobre a rocha inabalável. Se o Senhor não edificar a casa, em vão trabalham os que a edificam (Salmos 127:1). O casamento precisa ser um cordão de três dobras. Sem a presença de Jesus no casamento, os cônjuges tornam-se vulneráveis. Coisas não preenchem o vazio do coração. Amigos não substituem a presença de Jesus. Só quando Ele está presente no lar, a família pode ser estruturada e cumprir o seu propósito.

## Mesmo quando Jesus está presente, problemas acontecem

Jesus estava na festa de casamento em Caná da Galileia, mas faltou vinho. O vinho era o símbolo da alegria, e a alegria acabou mesmo estando Jesus presente. O fato de nos tornarmos cristãos não nos isenta de problemas. Uma família cristã está sujeita aos mesmos dramas e dificuldades que qualquer outra família. A diferença entre os que conhecem Deus e os que não O conhecem não são as circunstâncias, mas como eles reagem a essas circunstâncias. Jesus disse na conclusão do sermão do monte (Mateus 7:24-27) que a ambas as casas – a construída sobre a rocha e a construída sobre a areia – aconteceram as mesmas coisas: caiu a mesma chuva no telhado, soprou o mesmo vento na parede e bateu a mesma torrente no alicerce. Uma caiu; a outra ficou de pé.

Vida cristã não é uma sala *vip* nem uma colônia de férias. Vida cristã não é uma estufa nem uma redoma de vidro. Não somos poupados dos problemas. Eles não vêm para nos destruir, mas para nos tornarmos maduros. Aprendemos as mais importantes lições da vida não nas festas, mas nas lutas; não no arrebatamento emocional dos montes, mas no choro dos vales. As crises são inevitáveis no casamento. Não há casamento indolor. Quem quiser casar-se, sofrerá angústias na carne (1Coríntios 7:28). O casamento é feito de tensões, e não de amenidades. Ele é para gente guerreira, combativa, determinada. Aqueles que têm medo de viver e enfrentar lutas não são aptos para o casamento. Há determinadas tensões que só as pessoas casadas enfrentam. Mas como viver é lutar, então, vale a pena casar! Vale a pena fazer o maior de todos os sacrifícios para lançar os fundamentos do maior de todos os investimentos a fim de colher os maiores triunfos.

Todo casal enfrenta problemas. Não há casamento perfeito nem cônjuge perfeito. Todo casamento precisa lidar com o sofrimento, com as frustrações e com o esgotamento de coisas importantes. Todo casamento precisa lidar com perdas. No caso em tela, o vinho faltou na festa de casamento. Muitas vezes, a alegria vai embora do casamento nos primeiros dias, na lua de mel. Certo dia, uma jovem entrou chorando em meu gabinete. Estava com a palma da mão rasgada e costurada. Vi nos seus olhos a dor da desesperança. Estava casada havia um mês, mas já era vítima da violência do marido. O romantismo da lua de mel foi substituído pela agressão desumana. O vinho havia acabado no começo do seu casamento. Muitos casais perdem a alegria da relação sexual. O coração seca, a alma murcha, o amor romântico desvanece. Um deserto se instala no peito. A alegria acaba, deixando no lugar uma profunda dor, uma amarga frustração. Se o vinho da alegria acabou no casamento, não se desespere; ainda há esperança. Continue lendo e veja o que aconteceu naquela festa de casamento.

### É preciso diagnosticar o problema cedo

A falta de vinho foi logo identificada por Maria, mãe de Jesus. É digno de nota que não foi o pai da noiva nem mesmo o noivo ou os serventes que diagnosticaram o problema, mas uma mulher. As mulheres têm uma percepção maior quando se trata de identificar a falta de alegria dentro de casa. Elas veem o que os homens não percebem. Elas têm um sexto sentido que deve ser posto a serviço da restauração da família.

Eu trabalho como conselheiro matrimonial há mais de vinte anos. Sei que as mulheres são mais atentas aos problemas do casamento que os homens. São elas que mais diagnosticam os problemas e mais buscam ajuda. São elas que tomam as primeiras medidas com o fim de restaurar a alegria no lar.

Outra constatação é que o segredo para o sucesso da restauração da alegria é identificar os problemas em tempo oportuno. O que mais conspira contra o casamento não são os grandes problemas, mas os pequenos problemas não identificados e não tratados. Eles viram montanhas intransponíveis, verdadeiras bolas de neve. Um ditado chinês diz que o que impede a nossa caminhada não são as grandes pedras – estas, nós as vemos de longe e, assim, podemos desviar-nos delas. Mas as pequenas pedras, disfarçadas em nosso caminho, ferem-nos os pés e nos fazem tropeçar.

Os grandes problemas foram, um dia, um problema pequeno e administrável. Aqueles fracos barbantes facilmente rompidos transformam-se em cabos de aço. Aquela fagulha que seria apagada com um sopro torna-se um incêndio indomesticável. Não deixe os problemas se agravarem. Não faça como o avestruz, enfiando a cabeça na areia, ignorando os problemas. Não adie a solução dos pequenos problemas. Não espere que o outro dê o pontapé para resolver o problema. Comece você mesmo. Mexa-se.

Entre em ação e resolva o problema antes que seja tarde demais. Não subestime o poder das pequenas coisas. Não deixe o diálogo morrer. Não deixe o romantismo acabar. Na sua casa, não pode faltar o vinho da alegria!

### É preciso levar o problema à pessoa certa

Maria, tão logo identificou a falta de vinho na festa, imediatamente comunicou o fato a Jesus. Ela não procurou o pai da noiva, o noivo nem mesmo os serventes. Ela foi àquele que tinha o poder para resolver o problema. Devemos levar nossos problemas a Jesus. Devemos deixar nossas ansiedades a seus pés. Antes de espalharmos nossas frustrações, proclamando nosso medo ou buscando um culpado para o problema, devemos apresentar nossa causa ao Senhor Jesus.

Maria não procurou resolver o problema à parte de Jesus. Maria não criticou o anfitrião por não fazer provisão suficiente para os convidados. Maria não espalhou a informação para os demais convivas, deixando, assim, a família em situação constrangedora. Ela levou o assunto discretamente a Jesus e aguardou a intervenção dele.

Quando o vinho do casamento acaba, quando a alegria se esvai mesmo na festa de núpcias, precisamos urgentemente levar essa causa a Jesus. Muitos fracassam porque tentam encontrar um culpado para o problema e começam a tecer críticas e a espalhar boatos. Outros se decepcionam porque, ao divulgar o problema, em vez de encontrar auxílio ou encorajamento, só encontram mais combustível para inflamar a situação. Jesus está presente na família como amigo, como a resposta para nossas tristezas, como supridor das nossas carências.

## É preciso aguardar o tempo certo de Jesus agir

Jesus disse a Maria: "Mulher, que tenho eu contigo? Ainda não é chegada a minha hora" (João 2:4). Jesus tem o tempo certo de agir. Ele age não segundo a pressão da nossa agenda, mas segundo a soberania de seu propósito. Não podemos pôr Jesus contra a parede. Não somos donos da sua agenda. Ele é livre e soberano e faz todas as coisas conforme o conselho da sua vontade.

O tempo de Deus não é o nosso. Às vezes, julgamos que Jesus está longe, distante, silencioso e até indiferente à nossa causa. Mas, nesse tempo, Ele está trabalhando no turno da noite, preparando algo maior e melhor para nós. Não há Deus como o nosso, que trabalha para aqueles que nele confiam. Marta, disse a Jesus que sua chegada a Betânia tinha sido tardia demais, ao afirmar: "Senhor, se estivaras aqui, não teria morrido meu irmão" (João 11:21). Marta conjugou o verbo no passado. Jesus lhe disse: "Teu irmão há de ressurgir" (João 11:23). Marta prontamente reafirmou sua fé: "Eu sei que ele há de ressurgir na ressurreição, no último dia" (João 11:24). Marta conjugou o verbo no futuro. Mas Jesus não disse a ela: "Eu fui [...]"; ou "Eu serei [...]", mas: "Eu sou a ressurreição e a vida. Quem crê em mim, ainda que morra viverá" (João 11:25). Quando Jesus mandou remover a pedra do túmulo de Lázaro, Marta mais uma vez interferiu: "Senhor, já cheira mal" (João 11:39). Mas Jesus lhe disse: "Não te disse eu que, se creres, verás a glória de Deus?" (João 11:40).

Muitas pessoas me dizem que estão se divorciando porque o amor morreu, porque a fonte secou e não faz mais sentido continuar. Então, sempre afirmo: o amor nasce, cresce, amadurece e morre, mas também ressuscita. Deus chama à existência as coisas que não existem. Ele fez a vara seca de Arão florescer. Para ele, não existem impossíveis. Não há causa perdida para Deus. Um casal que estava se separando me procurou para aconselhamento. Eu disse a ambos os cônjuges que não lhes daria nenhuma palavra antes de eles voltarem para casa e orarem juntos uma semana. Eles aceitaram o desafio. Na semana seguinte, voltaram ao meu gabinete e disseram: "Pastor, viemos lhe informar que não mais nos separaremos. Deus voltou a aquecer o nosso coração e a aspergir-nos com o orvalho do amor".

Nunca perca a esperança. Quando chegamos ao fim dos nossos recursos, somos fortes candidatos a um milagre. O limite do homem pode ser a oportunidade de Deus. Quando a nossa fonte seca, os mananciais de Deus continuam jorrando. O tempo de Deus não é o nosso. Importa-nos continuar!

### É preciso obedecer à ordem da pessoa certa

Jesus chamou os serventes e mandou que eles enchessem de água as talhas de purificação. Eles poderiam questionar, dizendo que o problema era falta de vinho, e não de água. Eles poderiam se negar a levar aquelas pesadas talhas d'água ao mestre-sala. Contudo, eles não duvidaram, não questionaram nem adiaram. Eles prontamente obedeceram e atenderam à ordem de Jesus.

O segredo da vitória na vida familiar é obedecer às ordens de Jesus. Aparentemente, elas podem parecer sem sentido. Elas podem conspirar contra nossa lógica. Elas podem desafiar nossa razão. Mas aquele que fez a água e tem poder para transformá-la em vinho deu uma ordem, e esta deveria ser obedecida sem tardança. Muitas pessoas sofrem porque duvidam. Outras sofrem porque querem ser guiadas pela luz da razão, e não pela centelha da fé. A obediência a Jesus é o caminho da bem-aventurança. O casal que confia na Palavra de Deus nota que o milagre está no ato de crer, e não em duvidar. Devemos obedecer ao que Jesus ordena, mesmo quando sua palavra nos pareça sem sentido. Devemos obedecer a Jesus, mesmo quando nossos sentimentos nos pedirem que façamos a coisa contrária. Devemos obedecer a Jesus, mesmo que a nossa lógica grite aos nossos ouvidos para seguirmos pelo caminho oposto.

### É preciso crer no milagre que Jesus realizará

Os serventes não questionaram, não duvidaram nem postergaram a ordem de Jesus. Eles simplesmente obedeceram de pronto, de imediato, e levaram as seis talhas cheias de água ao mestre-sala. Quando, porém, este enfiou sua cumbuca dentro das talhas, não havia mais água, mas vinho, e vinho da melhor qualidade.

Até esse momento, Jesus não havia feito nenhum milagre. Eles não tinham nenhum fato histórico para fortalecer-lhes a fé. Eles creram, apesar das circunstâncias desfavoráveis. Quando obedecemos às ordens de Jesus sem duvidar, podemos, de igual forma, experimentar uma mudança total em nossa vida e em nosso relacionamento conjugal.

Somente Jesus tem poder para fazer milagres. Nosso papel é crer e obedecer. Se levarmos nossas causas a Ele e confiarmos nele, poderemos beber vinho novo. Poderemos experimentar o milagre da alegria. Assim como Jesus modificou a composição química da água para a composição química do vinho, Ele pode transformar lágrimas em alegria, solidão em solidariedade, ausência de diálogo em comunicação abundante, mágoa em amor profundo, sequidão em jardins engrinaldados de flor.

## O vinho de Jesus tem qualidade superior

Quando o mestre-sala experimentou o vinho, ficou surpreso e chamou o noivo, dizendo que ele havia quebrado o protocolo. O costume da época era servir primeiro o bom vinho e depois o vinho inferior. Contudo, o noivo havia reservado o melhor vinho para o final da festa. O vinho que Jesus providenciara, ao fazer seu milagre, tinha propriedades mais excelentes. Assim também acontece no casamento. Quando o vinho da alegria acaba e o casal busca o socorro de Jesus e lhe obedece, percebe que o vinho da restauração é mais saboroso que aquele degustado anteriormente. Com Jesus, o melhor sempre vem depois. Com Jesus, a vida conjugal não é uma descida ladeira abaixo, mas uma escalada para aventuras mais excelentes.

Enganam-se aqueles que pensam que os melhores dias da vida conjugal são os vividos nos dias primaveris da vida. Quando o casal experimenta a intervenção de Jesus, saboreia o melhor vinho na fase outonal da vida. Com Jesus, a vida é sempre uma aventura na busca do melhor, do mais excelente.

A passagem bíblica de João 2 termina dizendo que ali Jesus fez seu primeiro milagre, seus discípulos creram nele e foi manifestada a sua glória. O lar em que Jesus intervém é palco dos milagres de Deus. O lar em que Jesus transforma água em vinho é agência de evangelização na Terra. O lar em que Jesus opera seus milagres é palco em que a glória de Deus resplandece.

# 4

## Os ingredientes de um casamento feliz

O livro de Cantares é o maior poema sobre o amor conjugal de toda a literatura universal. Seu ensino é inspirado, seu conteúdo é incomparável, suas lições são sublimes.

Andar pelos jardins desse livro é ver os canteiros férteis do amor engrinaldados de flores, é ouvir a poesia majestosa que ecoa de toda a criação, aplaudindo a felicidade daqueles que vivem a doce experiência do amor conjugal. É ouvir declarações de amor profundas, românticas e cheias de ternura. É receber um mapa que nos conduz pelos caminhos da felicidade conjugal.

O amor em Cantares tem paladar; ele é melhor do que o vinho. O amor em Cantares tem consistência granítica; ele é mais forte do que a morte. O amor em Cantares é guerreiro e jamais perde a vitalidade; ele não pode ser afogado pelas muitas águas.

O amor em Cantares é abundante, sem deixar de ser santo. Ele é pleno, sem deixar de ser fiel. Ele desfruta das delícias criadas por Deus, sem deixar de ser puro. A felicidade conjugal está diretamente ligada à santidade do relacionamento.

É um equívoco pensar que um relacionamento santo é pobre e insípido como proclamam os arautos da decadência dos valores. É tolice acreditar que o verdadeiro prazer conjugal só é conhecido nas travessuras da vida boêmia. Ao contrário, Deus nos criou e nos destinou para o maior de todos os prazeres: conhecê-lo e glorificá-lo. É na presença de Deus que temos plenitude de alegria; é na sua destra que fruímos delícias perpetuamente. Quanto mais perto de Deus um casal está, mais sintonia com o cônjuge e mais felicidade conjugal ele desfruta. Quando nos afastamos de Deus, também nos distanciamos do cônjuge e de nós mesmos. Deus é o ponto de equilíbrio em que nossa vida encontra seu verdadeiro sentido e seu maior prazer. Há estudos que comprovam que os casais crentes, que desfrutam de uma vida cheia do Espírito, são aqueles que têm o relacionamento conjugal mais harmonioso e a relação sexual mais abundante.

Em Cantares 4:7-15, Salomão oferece alguns princípios que podem promover a verdadeira felicidade na vida conjugal. Que princípios são esses?

### O elogio

*"Tu és toda formosa, querida minha, e em ti não há defeito"* (Cântico 4:7).

O homem e a mulher têm necessidade de elogio. Temos carências afetivas que precisam ser supridas saudavelmente no contexto do casamento. Assim como nosso corpo precisa de alimento, nossa alma precisa de valorização. Quando o marido elogia a esposa, dizendo que ela é toda formosa, e que nela não há defeito, surge naturalmente uma pergunta: será que ele está sendo sincero? Será que ele está sendo real e honesto em sua avaliação? Existe alguém sem defeito? Existe alguém perfeito? Alguns críticos perguntam: será que esse homem morava na lua? Será que essa mulher, de fato, existiu? Será que ele estava sendo honesto com ela? Se não há pessoa sem defeito, por que ele disse que ela era toda perfeita? Estou convencido de que o ponto aqui é que o amor não se concentra nas falhas da pessoa amada, mas em suas virtudes. O amor cobre multidão de pecados.

Muitos cônjuges destroem o casamento porque pensam que a sua posição na relação conjugal é exercer o papel de um detetive. O detetive é aquele que busca descobrir as falhas do outro. Ele anda com a lupa na mão em busca do menor vestígio para incriminar a pessoa. Sua função é pegar sua vítima no contrapé. Ele age constantemente, na surdina, para flagrar alguma cena íntima e comprometedora e revelar isso publicamente. O nosso papel no casamento não é identificar as falhas do nosso cônjuge e lançá-las em seu rosto, mas destacar suas virtudes e torná-las públicas.

Alguém já disse com propriedade que pegamos mais moscas com uma gota de mel do que com um barril de fel. Enquanto o elogio cria pontes de contato, a crítica abre abismos de separação. Enquanto o elogio rega o relacionamento com o óleo da alegria, a crítica transtorna e atormenta a relação conjugal.

Também a função do cônjuge não é a de exercer o papel de um arqueólogo. Este vive removendo os escombros do passado, espanando poeira, revirando pedras sedimentadas, cavando abismos e buscando fósseis antigos para descobrir algo que lhe possa trazer qualquer nova revelação do presente. A nossa função no casamento não é a de ficar rastreando o passado do cônjuge, abrindo as gavetas fechadas dos seus arquivos, rebuscando coisas que já foram enterradas. Devemos deixar o passado no passado e viver o hoje com alegria. Temos de ter coragem de virar a página, de levantar monumentos da vida, onde um dia existiram os abismos da morte.

O elogio revitaliza a alma, unge a cabeça com o óleo da alegria, tonifica os sonhos e nos faz andar com mais otimismo. O elogio é terapêutico; ele cura as feridas, fecha as brechas e dá mais sabor à vida. Devemos ser pródigos nos elogios e cautelosos nas críticas. Devemos destilar mel da nossa língua e, doçura dos nossos lábios. Um cônjuge elogiado de forma sincera, ganha autoconfiança e é protegido das seduções. Um cônjuge que recebe a apreciação positiva do seu consorte tem mais resistência para enfrentar as tentações. Por isso, a Bíblia diz que o amor do marido santifica a esposa.

Há um fato importante a ser destacado. Todos nós somos elogiados. A questão é se existe alguém nos elogiando mais do que o nosso cônjuge. Sempre alguém verá nossas virtudes e as destacará. É muito perigoso quando um marido, ou uma esposa, passa a ser elogiado com mais frequência por outra pessoa, em vez do cônjuge. Se nós não notarmos as virtudes do nosso cônjuge, outras pessoas notarão, e os perigos dessa inversão podem ser irreparáveis.

## O romantismo

*"Arrebataste-me o coração, minha irmã, noiva minha; arrebataste-me o coração com um só dos teus olhares, com uma só pérola do teu colar"* (Cântico 4:9).

O romantismo dá leveza ao relacionamento conjugal. Ele torna a relação gostosa de ser vivida, mesmo diante das intempéries da vida. O romantismo não é algo natural. Deve ser cultivado, nutrido e regado todos os dias com palavras, gestos e atitudes nobres.

Muitos casais que começam a relação conjugal, no altar, cheios de sonhos, passam a vida chorando e terminam a caminhada feridos, magoados e cheios de traumas. Muitos casais que fizeram juras de amor quando se uniram em casamento passam a vida toda se ferindo com palavras rudes e atitudes agressivas e terminam essa relação nas barras de um tribunal, machucados por um divórcio que deixa feridas abertas nos cônjuges e, principalmente, nos filhos.

O romantismo não pode morrer no altar. Aquela mesma alegria e aquele mesmo entusiasmo que marcaram o namoro e o noivado devem permanecer no casamento. E isso não é algo automático. Precisa ser cultivado. Ninguém é automaticamente feliz no casamento. A felicidade é construída com muito trabalho e esforço. Nesse propósito, o romantismo não pode estar ausente.

O marido usa uma linguagem de efusivo entusiasmo sentimental. Ele fala de um coração arrebatado pelo olhar da sua amada e pela beleza das pérolas do seu colar. A beleza da sua amada é interna e externa. Ela vem dos seus atavios e do seu olhar. É importante ressaltar que o marido não apenas viu e guardou para si esses fatos magníficos, mas o proclamou com entusiasmo para sua esposa. Há muitos maridos que falam o que estão sentindo para a esposa. Há outros que não conseguem elogiar a esposa em público. Esse homem do texto bíblico não só sente; ele fala. Ele não só vê, mas proclama.

Quis o Criador que o homem fosse despertado pelo que vê, e a mulher fosse despertada pelo que ouve. O homem gosta de olhar, e a mulher gosta de ser olhada. Assim, o homem deve ser mais cuidadoso com suas palavras, e a mulher mais cuidadosa com sua aparência. Nada fere mais uma mulher do que palavras rudes. Um homem pode destruir o casamento se não compreender a expectativa de sua mulher em relação ao romantismo. O sexo para a mulher não é apenas o ato. Para ela, o sexo tem mais que ver com romantismo do que com desempenho. Como disse Marabel Morgan, em seu livro *Mulher total*, o sexo começa no café da manhã. Um homem jamais terá sua esposa entusiasmada com o sexo se não a tratou com ternura durante todo o dia. O romantismo não é apenas a cereja do bolo ou a cobertura especial de uma relação, mas seu ingrediente mais importante. Sem romantismo, o casamento cai na mesmice, na rotina, no marasmo. E casamento insípido é extremamente vulnerável ao desgaste interno e à sedução externa.

Em geral, a relação extraconjugal é um produto da carência afetiva. Um cônjuge carente é presa fácil da sedução. Quem não encontra pasto verde no leito conjugal, tem sempre a tendência de saltar o muro em busca de novidade. Também é digno de nota que a figura do amante, ou da amante, é sempre de uma pessoa amável, disponível e romântica. É com essa isca que normalmente as pessoas carentes são fisgadas pelo anzol da sedução e da morte. Veja o que diz o livro de Provérbios:

> Porque os lábios da mulher adúltera destilam favos de mel, e as suas palavras são mais suaves do que o azeite; mas o fim dela é amargoso como o absinto, agudo, como a espada de dois gumes. Os seus pés descem à morte; os seus passos conduzem-na ao inferno (Provérbios 5:3-5).

Tenho ministrado palestras para casais em várias regiões da nossa pátria e em outros países. Quando faço um levantamento sobre os principais problemas que estão atingindo os casais, descubro em quase todas as pesquisas que mais de 90% das mulheres reclamam de falta de carinho e romantismo no casamento. Os homens estão ficando secos. Eles estão desaprendendo a tratar sua esposa com afeto e romantismo. Por outro lado, os homens reclamam que as mulheres não procuram a relação sexual e, quando procuradas, costumam dar desculpas descabidas. Os dois acabam passando fome diante de um banquete: o homem não dá carinho, e a mulher não se interessa pelo sexo; a mulher não se interessa pelo sexo, e o homem não dá carinho. Ambos ficam num pingue-pongue sem-fim e deixam de usufruir as delícias da vida conjugal. Veja os conselhos sábios da Palavra de Deus:

> Bebe a água da tua própria cisterna e das correntes do teu poço. Derramar-se-iam por fora as tuas fontes, e, pelas praças, os ribeiros de águas? Sejam para ti somente e não para os estranhos contigo. Seja bendito o teu manancial, e alegra-te com a mulher da tua mocidade, corça de amores e gazela graciosa. Saciem-te os seus seios em todo o tempo; e embriaga-te

sempre com as suas carícias. Por que, filho meu, andarias cego pela estranha e abraçarias o peito de outra? (Provérbios 5:15-20).

## A comunicação

*"Os teus lábios, noiva minha, destilam mel. Mel e leite se acham debaixo da tua língua [...]"* (Cântico 4:11).

A língua pode trazer palavras doces ou amargas. Ela pode ser veículo de encorajamento ou canal de morte. A vida e a morte estão no poder da língua. O segredo de um casamento feliz é uma comunicação saudável. Onde prevalece o silêncio gelado, o casamento agoniza. Onde prospera a crítica impiedosa, o romantismo acaba. Onde abundam as acusações veladas, o relacionamento conjugal adoece. Sem comunicação harmoniosa, a vida conjugal se torna uma prisão, e não um campo de liberdade.

O divórcio é o enterro das vítimas da falta do diálogo. O casamento só acaba, porque o diálogo morreu antes. A comunicação não é algo secundário na vida conjugal, mas sua essência. Marido e mulher precisam ser amigos, confidentes, aliviadores de tensões, bálsamo de Deus um para o outro. Marido e mulher precisam ser generosos nas palavras, comedidos nas críticas, pródigos nos elogios e abundantes na forma de expressarem amor.

Poucos casais conversam profundamente sobre seus sentimentos, seus sonhos, seus propósitos. Poucos casais desfrutam de intimidade suficiente para abrir o coração um para o outro. Poucos casais cultivam amizade genuína um pelo outro. Falam um ao outro apenas assuntos triviais ou que geram ainda mais tensão. A amizade não é um relacionamento automático; precisa ser cultivada. Nem mesmo o fato de ambos dormirem na mesma cama e terem intimidade sexual faz de um casal pessoas amigas. Não temos diálogo com estranhos. Não temos diálogo com quem não conquistou esse direito em nosso coração.

Nossas palavras revelam nosso coração. As palavras destampam o cofre da alma. A boca fala aquilo de que o coração está cheio. Não podemos destilar mel dos nossos lábios e ter no coração um poço de amargura. O coração e a boca estão sintonizados pelo mesmo diapasão. Um reflete o outro. Na verdade, a língua é apenas a mensageira do coração. Ela sobe no palco apenas para apresentar o que está guardado no coração. Se quisermos uma comunicação terapêutica no casamento, precisaremos lidar com o coração, e não apenas com técnicas de comunicação.

Uma língua que destila mel alimenta e deleita. O mel dá sustento e também prazer. O mel satisfaz e agrada. Ele é alimento e, ao mesmo tempo, traz doçura. Precisamos não apenas alimentar nossa relação com palavras boas, mas também devemos ser o deleite e o prazer do nosso cônjuge com nossas palavras generosas.

### A fidelidade

"*Jardim fechado és tu, minha irmã, noiva minha, manancial recluso, fonte selada*" (Cântico 4:12).

A fidelidade conjugal é um elemento inegociável para um casamento saudável. Sem o princípio da fidelidade, o casamento adoece e morre. Por isso, a infidelidade conjugal tem sido, ao longo dos anos, o principal motivo que leva um casal ao divórcio. Onde se abrem brechas para a infidelidade, o casamento naufraga. Vivemos numa sociedade onde os valores absolutos estão entrando em colapso. Faz-se apologia do vício, arvoram-se as bandeiras da promiscuidade. O Brasil é o maior produtor e exportador de telenovelas do mundo. Essas novelas são o elemento que mais influencia a família brasileira. Nenhum outro fator social contribui tanto para a decadência da família. Na família da televisão, os cônjuges não se respeitam. Na família da televisão, os cônjuges traem um ao outro. Na família da televisão, o enredo é montado de tal maneira que a plateia fica torcendo para que a traição conjugal aconteça. Na família da televisão, os filhos não respeitam os pais. Na família da televisão, impera a mentira, a infidelidade e o engano. A grande mentira é que os mentores dessa farsa dizem que as novelas estão apenas retratando uma realidade, mas na verdade eles, os novelistas, estão induzindo a uma realidade, a uma realidade trágica, o desbarrancamento da virtude, a falência da moral, a decadência dos valores, a desintegração da família.

Os altos índices de infidelidade conjugal constatados na sociedade contemporânea são como um terremoto para a estabilidade conjugal. Estima-se que 75% dos homens e 63% das mulheres já foram infiéis ao seu cônjuge até a idade dos 40 anos. Esses dados não são apenas alarmantes; são também atentatórios à instituição divina do casamento.

A infidelidade conjugal é uma das formas mais perversas de agredir o cônjuge. É a quebra de uma aliança. É a quebra de um voto feito na presença de Deus. É a violação da lei do amor. É como apunhalar o cônjuge pelas costas. É mais do que ferir o corpo do cônjuge; é destruir suas emoções e achatar sua alma.

A traição no casamento é algo tão danoso que a Bíblia a compara com a autodestruição, com o suicídio familiar: "O que adultera com uma mulher está fora si; só mesmo quem quer arruinar-se é que pratica tal cousa" (Provérbios 6:32). O adultério de Davi com Bate-Seba revela-nos o alto preço que Davi precisou pagar. Ele perdeu sua comunhão com Deus. Seus ossos secaram, e seu vigor tornou-se sequidão de estio. A alegria da salvação foi embora da sua vida, e ele sentia sobre si a pesada mão de Deus dia e noite. As noites se tornaram longas, enquanto de sua alma brotavam apenas gemidos inexprimíveis. Se não bastasse a dor interior, viu como os gentios passaram a blasfemar do nome de Deus por causa da sua loucura. Davi tornou-se uma pedra de tropeço. Por causa do seu escândalo, muita gente sofreu ao seu redor. Davi viu, ainda, o juízo de Deus visitar sua casa, tirando a vida do filho do seu adultério. Se isso não bastasse, ele viu sua casa desabar, sua família se desintegrar, a ponto de Amnom, seu filho mais velho, violentar a própria irmã, Tamar. Mais tarde, Davi viu seu filho Absalão matar Amnom para vingar o abuso que sofrera sua irmã Tamar. Davi ainda viu seu próprio filho Absalão conspirar para matá-lo e arrebatar-lhe o trono. Davi teve o desgosto de travar uma batalha contra o seu próprio filho e ver, nessa empreitada, o seu filho ser traspassado pela espada do seu general. O prazer do pecado não compensa o sofrimento que ele produz. O pecado é doce ao paladar, mas amargo no estômago. O pecado é uma fraude. Ele promete alegria, mas traz desgosto; ele anuncia a vida, mas paga com a morte.

Os casamentos mais felizes são aqueles que se mantêm protegidos e guardados pelos muros da fidelidade. O cônjuge precisa ser um jardim fechado, uma fonte selada e um manancial recluso! Os cônjuges precisam estar atentos e vigilantes, pois não há fase segura no casamento. Nos últimos anos, no Brasil, o índice de divórcios na terceira idade cresceu mais de 50%. Há casais que partem para aventuras fora do casamento depois de vinte, trinta, quarenta anos de vida conjugal. Quanto mais tempo se vive junto, mais dói a ferida da traição!

O mesmo Deus que instituiu o casamento também estabeleceu princípios permanentes para sua felicidade. A fidelidade conjugal é um preceito divino que jamais pode ser violado sem gravíssimas consequências. O apóstolo diz que o homem que se deita com uma prostituta se torna uma só carne com ela. A relação que deveria ser peculiar apenas com a esposa, agora é profanada com uma prostituta. Isso é o aviltamento completo do casamento.

## A amizade

"*Jardim fechado és tu, minha irmã, noiva minha [...]*" (Cântico 4:12).

Salomão descreve sua amada como "irmã". Estou convencido de que o princípio que está por trás dessa expressão é o da amizade. Um casamento feliz não é apenas romance, mas também amizade. Uma paixão crepitante não sustenta um casamento por longos anos. O fogo da paixão tende a apagar-se com o tempo, e, nessas horas, apenas um casal que cultivou a amizade, o respeito e o afeto pode superar as intempéries da vida.

Muitos casais desistem no meio do caminho e quebram a aliança conjugal porque, embora tenham vivido intensamente um romance por algum tempo, não têm músculos emocionais e espirituais para resistir às provas da vida. São casados, mas não amigos. Têm bom desempenho sexual, mas não diálogo aberto. Dormem na mesma cama, mas não são parceiros dos mesmos sonhos. Têm atração sexual um pelo outro, mas não são confidentes, solidários, amigos, aliviadores de tensões.

A língua grega é um idioma rico. Há quatro diferentes palavras para descrever o amor. Essas quatro modalidades do amor retratam a maneira altruísta com que os cônjuges devem se amar.

O primeiro é o amor *eros*. Esse é o amor erótico e físico. Não há casamento sem atração pelo sexo oposto. A atração sexual é uma necessidade vital para a consumação de um casamento feliz. O homem deixa pai e mãe para unir-se à sua mulher e tornar-se uma só carne com ela.

O segundo é o amor *philia*. Esse é o amor amizade. É amar o outro como a um irmão de carne e sangue. Nós amamos os membros da nossa família não apenas por suas virtudes, mas apesar de suas fraquezas, porque eles são sangue do nosso sangue e carne da nossa carne. Esse é um amor sincero, intenso, profundo e incondicional. Os cônjuges devem se amar como amigos, como irmãos.

O terceiro é o amor *storge*. Esse é o amor familiar. É o amor do pai pelo filho, do filho pelo pai, dos irmãos uns pelos outros. Devemos amar a todos, mas temos um amor especial pela nossa própria família. Choramos pelos membros da nossa família como não conseguimos fazer pelos outros. Um casamento feliz nutre também esse tipo de amor.

O quarto é o amor *ágape*. Esse é o amor de Deus por nós. Também esse é o amor com que o marido é ordenado a amar sua esposa. É um amor perseverante, sacrificial e santificador. O marido deve amar a esposa como Cristo amou a Igreja. O marido deve amar a esposa como a si mesmo.

## O prazer

*"És fonte dos jardins, poço das águas vivas, torrentes que correm do Líbano!"* (Cântico 4:15).

O casamento foi criado por Deus para a felicidade do homem e da mulher. O casamento deve ser uma fonte de prazer, e não de sofrimento. O mesmo Adão que não encontrou nenhum ser que pudesse satisfazê-lo física, emocional e espiritualmente, exclamou com alegria: "Esta, afinal, é osso dos meus ossos e carne da minha carne; chamar-se-á varoa, porquanto do varão foi tomada" (Gênesis 2:23).

Como já analisamos neste livro, o sexo foi criado por Deus. O sexo é bom, puro, santo e prazeroso. Ele deve ser desfrutado plenamente dentro dos sagrados limites do casamento. A Bíblia diz: "Digno de honra entre todos seja o matrimônio, bem como o leito sem mácula" (Hebreus 13:4). A palavra "leito" na língua grega é a mesma palavra para "coito", "ato sexual". O sexo antes do casamento é fornicação; o sexo fora do casamento é adultério. Tanto a fornicação quanto o adultério são pecados que provocam a ira de Deus. Tanto a fornicação como o adultério são pecados sob a condenação de Deus, mas o sexo no casamento é uma ordenança divina. A mesma Bíblia que proíbe o sexo antes e fora do casamento ordena-o no casamento (1Coríntios

7:5). Se a prática do sexo antes e fora do casamento é pecado, a ausência do sexo no casamento também é pecado. O sexo prazeroso deve ser desfrutado num leito sem mácula. Quando um casal cai no laço da pornografia e introduz elementos promíscuos na relação sexual, entristece o Espírito Santo e acaba destruindo o que busca incrementar. O sexo oral e o sexo anal estão fora dos padrões de Deus. Quando Deus criou o homem e a mulher, fez cada órgão do corpo com uma finalidade específica. Vale repetir, se nossas narinas fossem voltadas para cima, morreríamos afogados na chuva. O ânus é um órgão criado por Deus para expelir os excrementos do corpo, e não para a introdução do órgão genital masculino. O sexo anal é um pecado de sodomia. Ele é agressivo, sujo e aviltante. E, ainda mais, ele gera vício e degradação. De igual forma, a boca não é um órgão apropriado para a penetração, tampouco a garganta é um receptáculo de esperma. Essas práticas sodomitas estão adoecendo os relacionamentos e trazendo o julgamento divino sobre os casais.

Sempre que tentamos alterar os princípios divinos para buscar o prazer, sofremos as amargas consequências do nosso engano. Já está provado que os casais que desfrutam de uma vida sexual mais abundante e feliz não são aqueles que se rendem à degradação da pornografia e da promiscuidade, mas os que mantêm a pureza do sexo num leito sem mácula.

O sexo dentro dos padrões de Deus é uma grande fonte de prazer. Marido e mulher devem beber dessa fonte a largos sorvos. Devem saborear as iguarias desse banquete sem nenhum complexo ou sentimento de culpa. O corpo do cônjuge é uma espécie de mapa do prazer que deve ser usufruído com discernimento e respeito.

# 5

## Comunicação, o oxigênio do casamento feliz

A comunicação é o oxigênio da família. Sem comunicação saudável, a família agoniza, asfixiada, sem conseguir respirar. Isso me faz lembrar de um pastor que visitou um membro da igreja num hospital de uma pequena cidade, onde os recursos eram ainda bem precários. Ao chegar ao hospital, o pastor encontrou aquele irmão todo entubado, em estado de muito sofrimento. O pastor posicionou-se em frente do enfermo e começou a ler alguns textos bíblicos. O paciente imediatamente começou a entrar em pânico e a gesticular. O pastor, impassível, continuou a leitura, sem se incomodar com a aflição do enfermo. O paciente, em estado de agonia, acenou com a mão pedindo um papel e uma caneta e rascunhou algumas palavras com grande nervosismo e entregou ao pastor. Ele, concentrado em suas leituras, pegou o papel e colocou no bolso do paletó. À medida que o pastor prosseguia na leitura dos textos, o irmão foi ficando cada vez mais ofegante e, em seguida, paulatinamente, foi perdendo a respiração. Para espanto do pastor, aquele irmão hospitalizado morreu ali mesmo, bem defronte dos seus olhos.

O pastor se condoeu com a família e com profunda emoção fez um sermão regado de emoção no funeral. Quando retornava do cemitério, lembrou-se do bilhete que havia recebido e sofregamente o sacou do bolso do paletó para ler. Ficou estarrecido ao ler: "Pastor, o senhor está pisando em cima da mangueira do meu oxigênio, e eu não estou conseguindo respirar".

Há muitos casamentos que estão acabando, e os cônjuges estão pisando em cima da mangueira de oxigênio. Quando a comunicação acaba, o casamento acaba. O divórcio é precedido pela morte do diálogo.

O livro de Provérbios diz que a morte e a vida estão no poder da língua (Provérbios 18:21). Você pode dar vida ou matar um relacionamento, dependendo de como se comunica. A Bíblia fala que Nabal, marido de Abigail, era um homem rude e que ninguém podia lhe falar. Nabal era truculento em suas palavras e em seus gestos. Ele tornou a vida da sua mulher um pesadelo. Ele era um homem beberrão, insensível e duro no trato. Ele morreu, e sua mulher casou-se com o rei Davi, desafeto dele.

Numa pequena vila, havia um homem ancião e sábio que tinha respostas inteligentes para todas as questões que lhe eram apresentadas. Certo jovem gabola, com ar de esperteza, tomou a decisão de pôr o sábio ancião numa enrascada. Disse consigo mesmo: "Colocarei um passarinho dentro de minhas mãos e perguntarei ao sábio se o pássaro está vivo ou morto". Ele, então, raciocinou: "Se o ancião falar que o passarinho está morto, eu abro as mãos e deixo o pássaro voar. Se ele falar que o pássaro está vivo, eu aperto uma mão contra a outra e entrego o pássaro morto". Na sua lógica, o sábio ancião não teria saída. Ao propor o desafio, perguntando se o pássaro estava vivo ou morto, o ancião lhe respondeu: "O pássaro que está em suas mãos está vivo ou está morto; só depende de você". Assim também é o seu casamento: ele está vivo ou está morto; só depende de você. Você pode dar vida ou matar seu casamento, dependendo de como trata o seu cônjuge.

Na família, você colhe o que planta. Ceifa o que semeia. Na comunicação, você bebe o refluxo do seu próprio fluxo. Na verdade, você se reproduz e se multiplica dentro da sua casa. Isso me faz lembrar a casa dos mil espelhos. Pelas ruas da cidade, passeava um cachorrinho faceiro e serelepe. Atraído pela casa dos mil espelhos, subiu as escadas e ficou maravilhado quando viu mil carinhas sorrindo para ele. Então, pensou: "Este é o melhor lugar do mundo. Sempre quero voltar aqui". Pela mesma rua, andava também um cachorrinho rabugento e deprimido. Ela rosnava e arreganhava os dentes para quem se aproximasse dele. Atraído pela casa dos mil espelhos, subiu as escadas e ficou horrorizado quando viu mil cães rosnando para ele. Perturbado, pensou: "Este é o pior lugar do mundo; jamais quero voltar a este lugar". Essa história é autoexplicativa. Nós reproduzimos quem somos. Se semearmos amor, colheremos amor. Se plantarmos amizade, colheremos amizade. Se, porém, espalharmos dentro de casa mau humor, é isso que teremos. Nós nos reproduzimos e nos multiplicamos dentro de casa. Os membros da nossa família são um reflexo de nós mesmos. Eles são nosso espelho. Nós bebemos o refluxo do nosso próprio fluxo. Colhemos o que plantamos.

Tiago, em sua carta, fala-nos sobre três princípios da comunicação: ser pronto para ouvir, tardio para falar e tardio para irar (Tiago 1:19).

**Pronto para ouvir**

Deus nos fez com a capacidade de ouvir mais e falar menos. Temos duas conchas acústicas externas e apenas uma língua amuralhada de dentes. Não podemos deixar de ouvir, mas podemos escolher não falar. Dale Carnegie, em seu livro *Como fazer amigos e influenciar pessoas*, diz que, se quisermos construir pontes de amizade, precisamos aprender a ouvir as pessoas. Todas as pessoas gostam e necessitam falar de si mesmas. Os consultórios dos psicólogos estão lotados de pessoas que precisam encontrar um ouvido que as ouça com paciência e amor. O lar precisa ser um lugar terapêutico, onde haja espaço para uma comunicação saudável.

A palavra usada por Paulo para descrever a prontidão para ouvir é muito sugestiva. Trata-se da palavra grega *táxis*, de onde vem a palavra portuguesa "táxi". Um táxi é um carro de serviço que está à sua disposição no exato momento em que você o chama. Se um taxista lhe disser: "Eu não posso atendê-lo agora. Chame-me mais tarde", certamente você o dispensará. Você tem urgência. Ou o taxista o atende na hora em que você chama, ou, então, não serve.

Quando Tiago diz que devemos ser prontos para ouvir, ele está dizendo que as pessoas valem mais do que coisas. Imagine uma criança chegando a seus pais e pedindo a eles uma ajuda: "Papai, mamãe, vocês podem me ajudar no exercício da escola?". Ambos respondem no mesmo tom: "Eu não tenho tempo agora; tente resolver sozinho esse problema ou telefone para seu professor ou amigo". Dentro de dez minutos, o telefone toca, e ambos correm para atendê-lo e ali gastam trinta minutos numa conversa fútil. O filho começa a perceber, então, que não tem com os pais o mesmo crédito que os amigos, o trabalho e o lazer. Quando os filhos são pequenos, eles choram para ficar com os pais. Quando crescem, os pais choram para ficar com os filhos. Se não construirmos pontes de comunicação com os filhos quando eles são pequenos, ao crescerem será quase impossível fazê-lo.

Há casais que não são amigos. Não conversam, não compartilham, não são confidentes. Eles têm tempo para ouvir os estranhos, mas não para ouvir um ao outro. O divórcio só acontece porque antes houve a morte do diálogo. Conheço casais que se comunicam dentro de casa pelo telefone celular. Conheço famílias cujos membros vivem isolados debaixo do mesmo teto.

É importante ressaltar que ouvir é uma arte. Devemos ouvir não apenas com os ouvidos, mas também com os olhos, com o coração e com todo nosso ser. Devemos ouvir com compaixão e ternura, com discernimento e profundo interesse. Devemos ouvir com simpatia e empatia. Quando abrimos a nossa agenda, o nosso coração e os nossos ouvidos para ouvir o cônjuge, não precisamos gastar tempo para restaurar o que foi quebrado.

Quem não ouve o cônjuge, ouvirá os lamentos da própria alma. Quem não investe na comunicação dentro do lar, viverá no tormento do silêncio e da solidão.

## Tardio para falar

Normalmente, arrependemo-nos do que falamos, mas quase sempre não nos arrependemos do que não falamos. Quem muito fala, muito erra. Até o tolo quando se cala é tido por sábio. Sobretudo, quando estamos irados, falamos o que não queremos falar, com a entonação de voz que não gostaríamos de usar e acabamos ferindo as pessoas que mais amamos.

A Bíblia diz que devemos falar a verdade em amor. Nossa palavra precisa ser verdadeira, boa para a edificação e transmitir graça aos que ouvem. Precisamos falar a coisa certa, com as palavras certas, com a pessoa certa e com a motivação certa. Sócrates, o grande filósofo grego, costumava filtrar o que ouvia por três peneiras. Quando alguém comentava com ele alguma coisa acerca da vida alheia, ele perguntava: "O que você está me falando é verdade? Você já falou com a pessoa implicada? Isso vai ajudar na solução do problema?". Se o comentário não passasse pelo crivo dessas três peneiras, o filósofo respondia: "Então, eu não gostaria de ouvir seu comentário".

Muitos problemas gerados dentro da família têm que ver com a forma como as pessoas falam. Tiago diz que a língua tem o poder de dirigir. Ela é como o freio de um cavalo ou como o leme de um navio. Sem freio, o cavalo torna-se um animal indócil e selvagem e pode provocar graves acidentes. Sem leme, o navio pode ser veículo de morte. Sem o leme para dirigir, o navio pode chocar-se contra os rochedos e provocar graves acidentes. Assim também é a língua. Mesmo sendo um órgão tão pequeno, ela dirige todo nosso corpo. Se não vivermos sabiamente, ela poderá nos jogar contra rochedos e levar-nos a um terrível naufrágio.

Tiago diz que a língua tem também o poder de destruir como o fogo e como o veneno. Um comentário maledicente é como uma pequena fagulha que pode incendiar toda uma floresta. Espalhar boatos é como subir no alto de uma montanha e espalhar um saco de penas. É impossível depois recolhê-las. A língua é veneno mortífero. Ela é mais peçonhenta do que a víbora mais venenosa. Muitas pessoas são destruídas pelo veneno da língua. A Bíblia fala da fofoca de Doegue que incitou o insano rei Saul a matar todos os homens da cidade de Nobe. Esse pecado de jogar uma pessoa contra a outra e espalhar contendas entre irmãos é tão grave que é classificado na Bíblia como pecado que Deus abomina. Muitos desastres e contendas, muitos conflitos familiares e muitas guerras foram atiçados pelo fogo da intriga, e muitas pessoas foram mortas pelo veneno letal da língua maledicente.

É sugestivo observar a palavra "tardio", usada por Tiago para descrever o termo grego *bradys*. Essa palavra traz a ideia de uma pessoa retardada ou que possui um raciocínio lento. É como aquela pessoa a quem você conta uma piada e só ri daqui meia hora. Tiago está nos ensinando que devemos contar até dez antes de falar. Devemos ser cautelosos e moderados com nossas palavras. Responder antes de ouvir é estultícia e vergonha. Falar apressadamente é laborar em grande erro.

Certo homem ganhava a vida vendendo garrafadas. Só que suas garrafadas não eram para tratar de doenças físicas, mas de relacionamentos enfermos. O preço era salgado, mas o resultado era eficaz. Um homem que passava por uma crise conjugal, sabendo dos prodígios alcançados por esse inusitado tratamento, procurou o vendedor do remédio miraculoso e pediu-lhe um desconto. O vendedor não cedeu, mas prometeu que devolveria o dinheiro se o remédio não funcionasse. O comprador não hesitou. Pagou a quantidade estipulada. Em seguida, o vendedor deu-lhe detalhadas orientações de como a garrafada deveria ser tomada. Explicou: "Quando você perceber que seu relacionamento conjugal está tenso e os nervos estão à flor da pele; quando o clima esquentar em sua casa, e você notar que o cenário de uma briga está se armando, então, tome imediatamente uma dose do remédio. Mas, um detalhe. Você não pode engolir o remédio. Se o engolir, o efeito será anulado. Mantenha o remédio na boca. Depois que o clima estiver calmo e as tensões se amainarem, engula o remédio". Deixar de falar na hora da tensão conjugal é o remédio mais eficaz para evitar a crise. Ser tardio para falar é um princípio infalível!

### Tardio para irar

Não é pecado ficar irado. A Bíblia diz: "Irai-vos e não pequeis" (Efésios 4:26). Mas a ira também pode ser pecaminosa. E quando ela se torna pecaminosa? Quando é dirigida contra as pessoas, e não canalizada para resolver o problema.

Jay Adams, ilustre escritor americano, diz que há duas maneiras erradas de lidar com a ira: a exteriorização da ira e a interiorização da ira. Muitas pessoas têm o estopim curto, explodem com facilidade. São daquelas que não levam desaforo para casa e que sempre dão o troco a qualquer ofensa recebida. Essas pessoas, normalmente, depois que explodem, sentem-se bem e até conseguem aquietar o coração, mas acabam ferindo as pessoas com seus estilhaços envenenados. Uma pessoa temperamental e explosiva acaba machucando as pessoas, em vez de resolver os problemas.

Há pessoas, porém, que, em vez de explodir, armazenam a ira, congelando-a no coração. Guardar mágoas é um grande perigo. Represar esses sentimentos pode provocar o rompimento dos diques da alma e trazer uma catastrófica inundação. Para usar outra figura, a retenção da mágoa pode ser semelhante a um vulcão. Aparentemente, ele está calmo, mas por dentro há um fogo avassalador. Um dia, esse vulcão entra em erupção, e suas lavas são cuspidas com uma força avassaladora.

A única maneira sensata de lidar com a ira é pelo exercício do perdão. O perdão traz cura e libertação. O perdão é uma necessidade vital para uma vida saudável. Quem não perdoa, acaba tornando-se escravo do ódio e prisioneiro da pessoa a quem odeia. Quem não perdoa, acaba convivendo constantemente com a pessoa com quem menos gostaria de se relacionar. Você vai fazer uma refeição, e seu desafeto assenta-se à mesa com você e tira-lhe o apetite. Você vai dormir, e essa pessoa rouba-lhe o sono e torna-se o seu pesadelo. Você se prepara para viajar e tirar férias, e essa pessoa pega carona com você e faz da sua viagem um tormento. O perdão, porém, tem o poder de libertar você dessas grossas correntes e torná-lo livre.

Não há vida conjugal feliz sem o exercício do perdão. Quem não perdoa, não pode orar, não pode ofertar, nem ser perdoado. Quem não perdoa, adoece física e emocionalmente. Quem não perdoa, é entregue aos flageladores da consciência. A Bíblia diz que devemos perdoar como Deus nos perdoou em Cristo. Devemos perdoar em nosso íntimo e de forma completa e constante.

Tiago diz que devemos ter pressa para ouvir; mas devemos ser lentos para falar e para irar. Esse é o tripé da comunicação positiva que produz relacionamentos saudáveis.

# 6

# A intimidade sexual no casamento feliz

O sexo é bom, puro, santo e deleitoso. Ele foi criado, ordenado e regulamentado por Deus. Antes do casamento, o sexo é fornicação; fora do casamento, o sexo é adultério; dentro do casamento, o sexo é ordenança divina.

No século 1 da Era Cristã, quando o Novo Testamento foi escrito, havia três grandes barreiras para se falar na santidade do sexo.

Em primeiro lugar, *não havia uma forte posição contra a imoralidade*. A vida sexual no mundo greco-romano era um caos sem lei. Chapman disse que naquela época a vergonha parecia ter sumido da Terra. Dificilmente, é possível mencionar um grande personagem grego que não tivesse uma amante. Alexandre Magno tinha uma amante chamada Taís, que depois da morte deste, aos 33 anos, casou-se com Ptolomeu, do Egito, e tornou-se mãe de reis. Aristóteles tinha uma amante chamada Herpília. A amante de Platão chamava-se Arquenessa. Aspásia, a amante de Péricles, era quem escrevia seus discursos. A decadência da moralidade sexual dos gregos pode ser demonstrada pelo seguinte fato: quando Sólon legislou pela primeira vez sobre a questão da prostituição e abriu os prostíbulos do Estado, destinou os lucros destes para a construção de templos aos deuses.

Quando a frouxidão moral dos gregos invadiu Roma, tornou-se ainda mais degradante e grosseira. Os laços matrimoniais foram menosprezados. O divórcio era desastradamente fácil. A moral entrou em colapso. Em Roma, como já referido neste livro, Sêneca escreveu que as mulheres se casavam para divorciar e se divorciavam para casar. A inocência não era apenas rara, mas quase inexistente. A classe alta da sociedade romana, sobretudo, havia se tornado profundamente promíscua. Até mesmo Messalina, a imperatriz, esposa de Cláudio, saía às escondidas do palácio real à noite a fim de servir num prostíbulo público. Ela era a última a sair de lá e voltava ao travesseiro imperial com todos os odores dos seus pecados. Pior ainda era a imoralidade desnaturada que grassava no palácio. Começaram-se várias relações incestuosas nos lares imperiais. Calígula vivia um habitual relacionamento incestuoso com sua irmã Drusila. A concupiscência de Nero sequer poupou a própria mãe Agripina, a quem depois assassinou. A sociedade, desde o mais alto escalão até o mais baixo, foi, também, contaminada de forma vergonhosa pelas relações homossexuais. O historiador Gibbon chegou a afirmar que dos quinze imperadores romanos, somente Cláudio, que foi traído pela mulher, não mantinha práticas homossexuais.

Em segundo lugar, *o prevalecimento das ideias gnósticas*. Para os gnósticos, influenciados pelo dualismo grego, a matéria era essencialmente má, enquanto o espírito era essencialmente bom. Por ser o corpo matéria e essencialmente mau, o gnosticismo tinha duas atitudes em relação ao corpo: ascetismo e licenciosidade. A mentalidade prevalecente nos primeiros três séculos era que o que se faz com o corpo não atinge o espírito. Ao agir assim, o gnosticismo promovia a imoralidade e abria fronteiras para a licenciosidade. Quando a teologia de um povo está errada, a ética resvala para o abismo. Assim como o homem crê, assim ele vive. Onde os marcos são removidos, e as balizas da ética são arrancadas, o povo bandeia-se para o relativismo moral e cai no fosso da degradação.

Em terceiro lugar, *a imoralidade sexual tinha profundos vínculos com a prática religiosa*. Havia muitos templos dedicados aos deuses do panteão greco-romano. Nesses templos, havia muitas prostitutas cultuais. O templo de Afrodite, por exemplo, na cidade de Corinto, tinha mais de mil prostitutas que se entregavam à promiscuidade numa espécie de serviço religioso. Isso fez de Corinto uma das cidades mais depravadas moralmente daquele tempo.

A chamada "nova moralidade" de hoje nada mais é do que uma volta à velha moralidade dos gregos e romanos. Hoje, vivemos a decadência vertiginosa da decência. Esse é o tempo da idolatração do corpo, do endeusamento da beleza, da supervalorização da *performance*. Assistimos a um verdadeiro culto ao corpo. As academias e salões de beleza estão superlotados. As clínicas de cirurgia plástica para o embelezamento do corpo estão cada vez mais concorridas. O cuidado com o exterior é infinitamente maior do que o cuidado com o interior.

O advento do anticoncepcional e a reviravolta da mentalidade contemporânea transformaram o sexo num produto barato que é comercializado sem nenhum pudor. A pornografia é hoje uma indústria cujo lucro atinge bilhões de dólares por ano. O sexo antes do casamento está deixando de ser exceção para ser uma regra nesta sociedade decadente.

O que a Bíblia tem a dizer sobre a questão do sexo?

### O sexo foi criado por Deus

Deus criou o homem e a mulher, macho e fêmea. Depois de criá-los, deu uma nota: MUITO BOM! (Gênesis 1:26-28). Deus criou cada órgão do nosso corpo (1Coríntios 12:18). Foi Deus quem nos criou com órgãos sexuais, com desejo sexual e com atração pelo sexo oposto. Não há pecado em sentir desejo sexual. O sexo não é sujo, mas santo, puro e bom.

### O sexo no casamento é uma ordem de Deus

O sexo não é a causa da queda nem é resultado dela. O sexo preexistiu à Queda. Ele foi ordenado por Deus antes da Queda (Gênesis 1:28) e depois da Queda (1Coríntios 7:5). A lenda da maçã ou do sexo como o fruto proibido não tem nenhum amparo bíblico. A mesma Bíblia que proíbe o sexo antes do casamento (1Tessalonicenses 4:3-8) e fora do casamento (Êxodo 20:14,17), ordena-o no casamento (Gênesis 1:28; 2:24; 1Coríntios 7:5). Em outras palavras, a prática do sexo antes e fora do casamento é pecado da mesma forma que a ausência do sexo no casamento é pecado (1Coríntios 7:3-5).

## O sexo no casamento deve ser puro e digno de honra

A carta aos Hebreus diz: "Digno de honra entre todos seja o matrimônio, bem como o leito sem mácula; porque Deus julgará os impuros e adúlteros" (Hebreus 13:4). A palavra "leito" na língua grega é coito, relação sexual. A relação sexual entre marido e mulher deve ser digna de honra entre todos. Ela está sob a bênção de Deus e a aprovação dos homens. Não existe ilicitude nem imoralidade nessa relação. Ela é totalmente compatível com a santidade e expressa de forma plena a vontade de Deus.

O sexo entre marido e mulher precisa ser praticado num contexto de pureza. O leito conjugal precisa ser sem mácula. Trazer para o leito conjugal práticas impuras e degradantes é aviltar o casamento e destruir a beleza do sexo. Não é verdade que entre marido e mulher, fechada a porta do quarto, vale tudo. Há práticas que são nocivas, degradantes e destruidoras, mesmo entre marido e mulher. Deus não apenas criou o sexo, mas também o regulamentou. Contrariar os princípios de Deus nessa matéria é laborar em erro.

Muitos casais já perderam a pureza, a beleza e o entusiasmo com a vida sexual por causa dos vícios aviltantes da pornografia. Há muitos homens prisioneiros da pornografia. Há muitos maridos que se abastecem de todo o lixo dos *sites* pornográficos e, além de destruir sua intimidade com Deus, também conspurcam o leito conjugal, forçando o cônjuge a repetir as mesmas aberrações retiradas desses esgotos nojentos. Todo vício gera dependência. Todo vício degrada e destrói. Muitos casais, na busca de dinamizar, revitalizar e aquecer a relação sexual, introduzem elementos estranhos ao leito conjugal e, em vez de alcançar o fim desejado, destroem a espontaneidade da relação e amargam consequências desastrosas.

Há maridos que se tornam tão dependentes da pornografia que não sentem mais prazer em uma relação natural com a esposa. Há aqueles que não conseguem mais ter prazer na relação, a não ser que estejam diante de uma película com cenas empapuçadas e carregadas dessas cenas aviltantes. Muitas mulheres são humilhadas por seu marido, constrangidas a ver o que não querem ver e a se submeter a um festival de sodomização. Há muitos casais que já transformaram o leito conjugal na cama do adultério, o lugar da bênção de Deus no reduto da degradação mais vergonhosa. Quando um homem fica viciado em pornografia, as cenas que ele vê nos filmes, *sites* e revistas ficam impregnadas em sua mente. Quando esse homem mantém uma relação sexual com a esposa, ele está apenas usando o corpo da esposa, porque a pessoa da sua fantasia é aquela que ele viu ou está vendo. Assim, ele mantém relação com a esposa e, ao mesmo tempo, comete adultério contra ela.

A sodomização do leito conjugal atrai maldição sobre o casal. O prazer do pecado é momentâneo, mas o sofrimento que ele provoca pode durar uma vida inteira, quiçá toda a eternidade.

## O sexo no casamento traz prazer

O prazer sexual é uma das experiências físico-emocionais mais arrebatadoras que o ser humano pode experimentar. Deus mesmo nos criou com a capacidade de ter orgasmo e com o privilégio de sentir esse maravilhoso prazer. Não é pecado desfrutar, dentro das balizas benditas do casamento, desse sacrossanto prazer.

Aqueles que ensinam que o sexo é apenas para a procriação cometem um grande engano. Por meio da relação sexual, temos o privilégio de gerar filhos segundo a nossa imagem e semelhança. Mas o propósito do sexo vai muito além da procriação. O sexo nos foi dado como uma fonte de abundante prazer. A lei mosaica garantia um ano de lua de mel ao casal para que ele desfrutasse plenamente as delícias da relação. "Homem recém-casado não sairá à guerra, nem se lhe imporá qualquer encargo; por um ano ficará livre em casa e promoverá felicidade à mulher que tomou" (Deuteronômio 24:5).

O autor do livro de Eclesiastes ordena: "Goza a vida com a mulher que amas, todos os dias de tua vida fugaz [...]" (Eclesiastes 9:9). O livro de Provérbios fala do sofrimento produzido pelo sexo fora do casamento (Provérbios 5:7-14), mas também descreve com cores vivas o prazer embriagador que o sexo promove entre os cônjuges:

> Bebe a água da tua própria cisterna e das correntes do teu poço. Derramar-se-iam por fora as tuas fontes, e, pelas praças, os ribeiros de águas? Sejam para ti somente e não para os estranhos contigo. Seja bendito o teu manancial, e alegra--te com a mulher da tua mocidade, corça de amores e gazela

graciosa. Saciem-te os seus seios em todo o tempo; e embriaga-te sempre com as suas carícias (Provérbios 5:15-19).

John P. Mulhall, um dos mais proeminentes urologistas dos Estados Unidos, em sua entrevista às páginas amarelas da *Revista Veja* (9 de janeiro de 2008, p. 7,8), diz que uma vida sexual prazerosa tem termos quantitativos e qualitativos, traz uma série de benefícios à saúde mental, cardiovascular e até imunológica. Diz ele que aqueles que vivem uma vida sexual mais prazerosa vivem mais e com mais alegria. As disfunções sexuais, por sua vez, contribuem para o surgimento de uma série de problemas físicos e psicológicos. Muitos casos de depressão e de dificuldades de relacionamento têm origem nelas. A disfunção erétil, por exemplo, pode ser o prenúncio de doenças como diabetes, esclerose múltipla, mal de Parkinson e doença coronariana, entre outras. A qualidade da vida sexual é um termômetro de bem-estar. Tanto que se tornou uma das medidas de qualidade de vida de uma pessoa, segundo a Organização Mundial de Saúde.

### O sexo no casamento requer carícias

O homem e a mulher são os únicos seres que fazem sexo olhando um para o outro. Homem e mulher vivem não apenas lado a lado, mas também frente a frente. Diferente dos animais, o sexo para o ser humano é uma intimidade que exige responsabilidade e fidelidade. Não copulamos como os animais irracionais. Só deveríamos nos entregar à intimidade quando tivéssemos a segurança do compromisso e da aliança conjugal. Essa relação não é construída apenas sobre a ardente paixão carnal, mas, sobretudo, é edificada sobre o amor responsável.

Dessa forma, o sexo no casamento, como expressão de amor, exige carícias. Isaque acariciava sua esposa, Rebeca, no momento da intimidade do casal (Gênesis 26:8). O ensino do apóstolo Paulo é claro: "Porque ninguém jamais odiou a própria carne; antes, a alimenta e dela cuida [...]" (Efésios 5:29). A palavra "cuida" só aparece mais uma vez no Novo Testamento, em 1Tessalonicenses 2:7. Nesse último texto, é traduzida por "acariciar". O marido deve acariciar a esposa. O sexo, sobretudo para a mulher, vai muito além do ato conjugal. O prelúdio feminino para o ato sexual deve começar no café da manhã. Cerca de 98% das mulheres reclamam de falta de carinho. Enquanto os homens buscam sexo, as mulheres buscam carinho. Enquanto o sexo para o homem é principalmente o ato conjugal, para a mulher abrange muito mais do que o ato. Na verdade, o ato é apenas a cereja do bolo.

Salomão, por sua vez, mostra que não é apenas o homem que deve acariciar a mulher, mas o homem também deve receber carícias da mulher: "[...] embriaga-te sempre com as suas carícias" (Provérbios 5:19).

## O sexo no casamento exige fidelidade

Nenhum casal pode ser plenamente feliz em sua vida sexual onde há traição e infidelidade conjugal. A felicidade plena na vida sexual requer entrega total do cônjuge. O livro de Cantares coloca essa reciprocidade nestes termos: "Eu sou do meu amado, e o meu amado é meu" (Cântico 6:3). O leito conjugal precisa ser puro e exclusivo. O rei Salomão, inspirado pelo Espírito de Deus, é claro sobre essa questão: "Jardim fechado és tu, minha irmã, noiva minha, manancial recluso, fonte selada" (Cântico 4:12).

A fidelidade conjugal é um preceito divino desde os primórdios dos tempos. O próprio livro de Gênesis retrata essa realidade: "Por isso, deixa o homem pai e mãe e se une à sua mulher, tornando-se os dois uma só carne" (Gênesis 2:24). Não diz o texto que o homem deve se unir às suas mulheres, mas à sua mulher. A Bíblia é absolutamente clara sobre o desastre provocado na quebra desse preceito: "O que adultera com uma mulher está fora de si; só mesmo quem quer arruinar-se é que pratica tal cousa" (Provérbios 6:32).

O sexo fora do casamento é uma fonte de mágoa, culpa, dor, lágrimas e muito sofrimento. Ele traz tragédias não apenas para quem o pratica, mas também para o cônjuge traído, bem como para os filhos. José do Egito recusou deitar-se com sua patroa dizendo que a infidelidade era uma grande maldade com seu marido. Disse ele: "[...] como, pois, cometeria eu tamanha maldade e pecaria contra Deus?" (Gênesis 39:9). Jó definiu o adultério como um crime hediondo (Jó 31:11).

A infidelidade conjugal é algo tão grave que ela pode legitimar o divórcio e abrir caminho para um novo casamento para o cônjuge que foi traído (Mateus 19:9). Muito embora as consequências sejam tão trágicas, nossa sociedade permissiva promove e aplaude o adultério. Vivemos hoje o drama dos casamentos descartáveis. Vivemos hoje a dolorosa realidade da epidemia da infidelidade conjugal. Importa dizer que os adúlteros não herdarão o Reino de Deus, a menos que se arrependam (1Coríntios 6:9,10; Apocalipse 21:8).

## O sexo no casamento exige a completa devoção dos cônjuges

Tanto a mulher quanto o marido têm direitos assegurados por Deus em relação ao prazer sexual no casamento. O marido deve conceder à mulher o que lhe é devido, e, semelhantemente, a mulher, ao marido (1Coríntios 7:3). O orgasmo é uma dádiva divina. Ele é um presente maravilhoso concedido por Deus para ser desfrutado e celebrado com pureza e santidade pelo casal. O marido não pode sonegar à esposa esse privilégio que Deus lhe concedeu. Não é pecado sentir prazer sexual. Não é contra a vontade de Deus que marido e mulher desfrutem plenamente essa bênção. Aliás, é uma ordenança divina que tanto o marido quanto a mulher concedam um ao outro esse direito.

Para isso, é necessário que marido e mulher se conheçam e estudem sobre esse importante assunto. Poucos casais conversam abertamente sobre sua vida sexual. Sexo, entre muitos casais, ainda é tabu. Poucos casais desfrutam de todo o prazer que poderiam na relação sexual. Muitos passam fome diante de um farto banquete. Outros se alimentam fartamente, mas deixam o cônjuge passando fome. Muitos homens têm preconceito de fazer tratamento adequado para melhorar seu desempenho sexual. Por isso, alguns maridos entram em campo e querem decidir o jogo nos pênaltis, sem jogar os noventa minutos. Chegam rápido ao orgasmo e depois dormem a valer, sem se dar conta de que a mulher tem também necessidades e direitos garantidos pelo próprio Deus que precisam ser atendidos e supridos.

A relação sexual do casal precisa ser desburocratizada. Há casais que seguem normas tão rígidas para ter uma relação sexual que tiram a espontaneidade do ato conjugal. O amor é "outrocentralizado", e não "egocentralizado". Uma relação deve ter início sempre que um dos cônjuges manifestar esse desejo e sempre que houver um ambiente favorável de privacidade para o casal. O apóstolo Paulo escreve: "A mulher não tem poder sobre o seu próprio corpo, e sim o marido; e também, semelhantemente, o marido não tem poder sobre o seu próprio corpo, e sim a mulher" (1Coríntios 7:4). As desculpas e chantagens devem desaparecer no relacionamento conjugal. O propósito principal do cônjuge é satisfazer o seu consorte, e não a si mesmo. A inobservância desse preceito abre uma larga avenida onde transitam muitos riscos e perigos. Satanás, o arqui-inimigo do casamento e da família, tira proveito da incontinência entre marido e mulher para empurrar os cônjuges para o caminho escorregadio da infidelidade. Por isso, o apóstolo Paulo alerta: "Não vos priveis um ao outro, salvo talvez por mútuo consentimento, por algum tempo, para vos dedicardes à oração e, novamente, vos ajuntardes, para que Satanás não vos tente por causa da incontinência" (1Coríntios 7:5).

# 7

## As virtudes da mulher que edifica um casamento feliz

A mulher foi criada à imagem e semelhança de Deus, para a glória de Deus e felicidade do homem. Ela é um presente de Deus, uma auxiliadora idônea para o homem, o centro dos seus afetos, a prioridade dos seus relacionamentos. A mulher foi a última a ser criada no Universo; o mais belo poema de Deus, a coroa da criação!

Provérbios 31:10-31 é um acróstico. Cada verso começa com uma letra do alfabeto hebraico. É uma homenagem à mulher. Não poderia haver outro jeito mais sublime de concluir o livro de Provérbios. O texto em tela nos fala sobre as principais áreas de relacionamento dessa mulher:

Em primeiro lugar, *como ela se relaciona com seu marido*. Em relação ao marido, essa mulher tem algumas características notáveis: 1) ela é uma mulher confiável. "O coração do seu marido confia nela" (31:11). 2) ela é uma mulher estável emocionalmente. "Ela lhe faz bem e não mal, todos os dias da sua vida" (31:12). 3) ela é uma alavanca na vida do seu marido. "Seu marido é estimado entre os juízes" (31:23). 4) é uma mulher louvada pelo seu marido. "Seu marido a louva, dizendo: Muitas mulheres procedem virtuosamente, mas tu a todas sobrepujas" (31:28,29).

Em segundo lugar, *como ela se relaciona com os filhos*. Três coisas nos chamam a atenção no relacionamento dessa mulher com seus filhos: 1) ela é uma sábia conselheira. "Fala com sabedoria, e a instrução da bondade está na sua língua" (31:26). 2) ela é elogiada pelos filhos. "Levantam-se seus filhos e lhe chamam ditosa" (31:28). 3) ela trata todos os filhos de forma equânime, ou seja, ela não tem preferência por um filho em detrimento de outro. "Levantam-se seus filhos [...]" (31:28).

Em terceiro lugar, *como ela se relaciona consigo mesma*. Destacamos três fatos interessantes: 1) ela cuida da sua saúde e de sua *performance* física. "Cinge os lombos de força e fortalece os braços" (31:17). 2) ela se veste com bom gosto. "Veste-se de linho fino e de púrpura" (31:22). 3) dá mais valor à beleza interior do que à beleza exterior. "A força e a dignidade são os seus vestidos" (31:25).

Em quarto lugar, *como ela se relaciona com o seu próximo*. Muito embora essa mulher seja uma administradora doméstica, uma empresária bem-sucedida e uma fonte de bênção dentro da sua casa, ela também tem tempo para ajudar os necessitados. "Abre a mão ao aflito; e ainda a estende ao necessitado" (31:20).

Em quinto lugar, *como ela se relaciona com Deus*. Essa mulher, depois de tantos atributos bonitos que ornam o seu caráter, demonstra a fonte de todas as outras excelências da sua vida, seu profundo relacionamento com Deus. É uma mulher focada não em coisas fúteis e passageiras, mas num relacionamento de temor e obediência a Deus. "Enganosa é a graça, e vã, a formosura, mas a mulher que teme ao Senhor, essa será louvada" (31:30).

O texto em tela nos fala sobre os dez atributos da mulher feliz.

### Ela é preciosa (Provérbios 31:10)

O valor dessa mulher excede o de finas joias. Essa mulher vale mais do que o ouro. "A casa e os bens vêm como herança dos pais; mas do Senhor, a esposa prudente" (Provérbios 19:14). "O que acha uma esposa acha o bem e alcançou a benevolência do Senhor" (Provérbios 18:22).

Uma família pode ter riqueza, mas sem amor não há felicidade. Ninguém pode comprar o amor. O amor jamais está à venda. Essa mulher vale mais do que herança, mais do que riqueza, mais do que apartamento de luxo, mais do que carro requintado. Mais do que bens materiais.

É um terrível engano pensar que um bom partido para o casamento é apenas alguém que tem dinheiro. O dinheiro é bom, mas não faz ninguém feliz. Um casamento feliz é melhor do que riqueza. Uma mulher virtuosa vale mais do que todo o ouro do mundo.

Hoje, vivemos uma inversão de valores. As pessoas são avaliadas pelo que têm, e não por quem são. O *ter* passou a ser mais importante do que o *ser*. Riquezas sem caráter não pavimentam o caminho da felicidade. As pessoas mais felizes não são necessariamente aquelas que granjearam riquezas e moram em palacetes e apartamentos de luxo, mas as que têm a riqueza de um caráter digno. As pessoas mais felizes são aquelas que chegam em casa cheirando graxa e assentam-se ao redor de uma mesa para comer pão, mas vivem com alegria de Deus no coração, porque construíram a vida em cima de valores perenes, e não sobre a areia movediça da ganância insaciável.

## Ela é confiável (Provérbios 31:11)

A mulher virtuosa descrita nesse texto é fiel a seu marido. Ele nunca tem motivos para desconfiar dela. Ela é transparente, honrada, de conduta irrepreensível. Ela pode dizer: "Eu sou do meu amado, e o meu amado é meu". Ela é um jardim fechado, uma fonte selada, uma esposa fiel.

Não há coisa mais desastrosa do que a infidelidade conjugal. A traição é como uma punhalada nas costas. A infidelidade conjugal abre feridas no coração. As estatísticas revelam que hoje 75% dos homens e 63% das mulheres são infiéis ao cônjuge. Há muitos maridos quebrados e feridos pela infidelidade da esposa. Há muitas esposas machucadas pela infidelidade do marido.

A mulher virtuosa é confiável também na área das finanças. Essa mulher é uma hábil administradora. Ela sabe ganhar, economizar e investir da melhor forma o dinheiro. A área financeira é uma das que mais provoca contendas no casamento. Hoje, há vários perigos na área financeira: 1) gastar mais do que se ganha; 2) querer ter um padrão mais alto do que se pode; 3) estar insatisfeito com o que se tem; 4) pensar que a felicidade está nas coisas, e não na atitude do coração; 5) contrair dívidas; 6) comprar a prazo com juros excessivos; 7) comprar coisas desnecessárias; 8) gastar o dinheiro naquilo que não satisfaz. Uma mulher virtuosa valoriza mais o relacionamento do que coisas. Ela adora a Deus, ama as pessoas e usa as coisas. Vivemos a dolorosa realidade do consumismo galopante. As pessoas compram o que não precisam, com o dinheiro que não têm, para impressionar pessoas que não conhecem. Elas tentam preencher o vazio do coração com coisas materiais e deixam de buscar a Deus. A Bíblia diz que aqueles que querem ficar ricos caem em tentação e ciladas e atormentam a si mesmos com grandes flagelos. Na verdade, nada trouxemos para este mundo, nem nada dele levaremos. Tendo, portanto, o que comer, o que beber e o que vestir devemos estar contentes, pois a piedade com contentamento é grande fonte de lucro.

### Ela é abençoadora (Provérbios 31:12)

O texto bíblico diz que a mulher virtuosa é um bálsamo, um refrigério na vida do marido. Ela é aliviadora de tensões. Ela é uma amiga, uma confidente, uma auxiliadora idônea, uma consoladora.

Ela é uma mulher estável emocionalmente. Não é uma mulher de veneta, que numa semana é romântica e noutra, ranzinza. Num dia, carinhosa e noutro, rabugenta. Ela é uma bênção na vida do marido, e não um peso. Ela é refrigério para o marido, e não amargura para a sua alma. Os biógrafos de Abraham Lincoln dizem que a maior tragédia na vida do presidente e estadista americano não foi seu assassinato, mas seu casamento com Mary Todd Lincoln. Ela era uma mulher ranzinza, amarga e crítica. Muitas vezes, ela jogava café quente no rosto do presidente na frente de seus convidados. Por essa razão, Lincoln era amante das reuniões até altas horas da madrugada. Não que ele gostasse tanto da reuniões, mas por que desgostava de voltar para casa.

A mulher virtuosa é uma alavanca na vida do marido (Provérbios 31:23). O sucesso do marido deve-se à influência de sua mulher. Ao lado de um grande homem, sempre há uma grande mulher. Ela põe seu marido para a frente. Empurra-o para o progresso. Seu marido desfruta de um bom conceito na cidade e no trabalho, graças à magnífica influência da esposa. Tem homem que nunca progride na vida, porque a esposa só puxa para trás. Só sabe criticar o marido. Só sabe desencorajá-lo.

O sucesso dessa mulher na vida profissional não é em detrimento da família. Essa mulher é o elo de ligação da família. Ela, como sábia construtora, edifica a sua casa. O marido e os filhos acham-se felizes. Essa mulher sabe que nenhum sucesso profissional compensa o fracasso do seu casamento ou da sua família. Hoje, muitas mulheres erguem o monumento do seu sucesso profissional sobre os escombros da sua família. Chegam ao apogeu do sucesso profissional e galgam posições de destaque na corrida do sucesso, mas arrebentam com o casamento e com a vida emocional dos filhos. Essa vitória é pura perda. Esse sucesso não passa de um fracasso consumado.

### Ela é trabalhadora (Provérbios 31:15)

A mulher virtuosa é boa dona de casa e administradora hábil (Provérbios 31:15). Ela tem servas (Provérbios 31:15), mas está envolvida com o bom andamento da casa. Ela controla as atividades e a atmosfera do seu lar. É zelosa no cumprimento de seus deveres domésticos. É uma mulher presente no lar. Ela é administradora do lar. Ela gerencia o seu lar com sabedoria. Toma pé da situação. Ela não é relaxada (Provérbios 31:27). Sua casa anda em ordem. Sua casa não é uma marafunda, uma bagunça, uma anarquia. Sua casa anda na mais perfeita ordem. Pode chegar visita a qualquer hora que ela não fica corada de vergonha.

Ela não come o pão da preguiça (Provérbios 31:27). Ficamos cansados só de alistar as atividades dessa mulher. Ela não é mulher de ficar dormindo o dia todo, batendo perna na rua o dia todo, visitando vitrina o dia todo. Talvez o problema da maioria das mulheres hoje não seja a ociosidade, mas a correria. Como ter tantas atividades fora do lar e ainda cuidar do bom andamento da sua casa?

A mulher virtuosa tem visão de negócios. Ela é adestrada na costura (Provérbios 31:13), ela busca alimento para o sustento da casa (Provérbios 31:14). Ela trabalha e tem lucro. Ela trabalha diuturnamente (Provérbios 31:18,19). Ela produz (Provérbios 31:24). Ela vende, comercializa, tem expediente, não é dependente nem parasita.

A mulher que trabalha no lar é uma incansável trabalhadora, pois a lida doméstica é um trabalho contínuo e muitas vezes invisível e não reconhecido. Aquelas que, além de trabalhar no gerenciamento da casa, ainda trabalham fora do lar se desdobram duplamente. Normalmente, as mulheres acabam trabalhando mais do que os homens, isso por que, mesmo trabalhando fora do lar, elas não deixam seus afazeres domésticos.

Nos idos de 1970, cerca de 75% das famílias dependiam apenas de uma renda para manter toda a família. Hoje, mais de 70% das famílias dependem de duas rendas para manter o mesmo padrão. O luxo de ontem tornou-se a necessidade imperativa de hoje. Ganhamos mais, consumimos mais e, nem por isso, somos mais felizes. Precisamos ter muito cuidado para não pormos o nosso coração em coisas. A Bíblia diz que onde estiver o nosso tesouro, aí estará o nosso coração. Devemos buscar, portanto, as coisas lá do alto e ajuntar tesouros lá em cima, onde ladrão, traça e ferrugem não podem destruí-los.

### Ela é previdente (Provérbios 31:21,25b)

A mulher virtuosa é organizada (v. 21). Ela não deixa as coisas para a última hora. Ela tem um programa. Ela antecipa as coisas. Antes de chegar o inverno, já prepara para sua família as roupas próprias. Essa mulher tem uma agenda e sabe administrar bem o seu tempo. Ela tem tempo para Deus (v. 30); tempo para o marido (v. 12); tempo para os filhos (v. 28); tempo para o seu próximo (v. 20); e tempo para si mesma (v. 22). E tudo isso contribui para o bom andamento do seu lar.

Ela não é ansiosa (v. 25b). Ela não vive choramingando. Não vive antecipando problemas, mas soluções. Não vive amedrontada pelo amanhã. Ela não deixa de viver o hoje com medo do amanhã. A pessoa ansiosa vê o que não existe, aumenta o que existe e se enfraquece diante das dificuldades. A palavra "ansiedade" na língua grega significa estrangulamento. Uma pessoa ansiosa vive sem oxigênio. Ela vive asfixiada, atormentada, sem paz. Jesus disse que a ansiedade é inútil, porque ninguém, por mais ansioso que esteja, pode acrescentar um côvado à sua existência. A ansiedade não é apenas inútil; ela também é prejudicial, porque significa ocupar-se antecipadamente de um problema em potencial. Estatisticamente, 70% dos problemas que nos afligem hoje nunca chegam a acontecer. Assim, uma pessoa ansiosa, sofre duas vezes. Sofre antes do problema chegar, e depois que ele chega. Se o problema nunca vier a acontecer, ela já sofreu por ele, e isso, desnecessariamente. Mas a ansiedade também é um sinal de incredulidade. Ficamos ansiosos porque duvidamos de que Deus seja poderoso o suficiente para tomar conta da nossa vida. O remédio para a cura da ansiedade é entender a grandeza do nosso Deus. O profeta Daniel diz que o povo que conhece a Deus é um povo forte (Daniel 11:32).

## Ela é generosa (Provérbios 31:20)

A mulher virtuosa tem o coração sensível e as mãos abertas. Ela não é uma mulher egoísta. É sensível às necessidades dos outros. É caridosa e ajudadora dos pobres. Seu dinheiro e seus bens não são apenas para ser acumulados, mas distribuídos com generosidade. Ela não se preocupa apenas com a sua família, mas com os que sofrem ao seu redor. Essa mulher não é sovina, mesquinha e avarenta.

Há muitas pessoas que gastam grandes somas de dinheiro num vestido, numa bolsa, num sapato, num adorno, enquanto há pessoas famintas ao seu redor, precisando comer um prato de arroz com feijão.

Hoje, gastamos mais com cosméticos do que com o Reino de Deus e com o próximo. Nossa geração gasta mais com Coca-Cola do que com filantropia. Acumulamos para nós mesmos um montão de coisas supérfluas, enquanto perece ao nosso redor uma multidão de gente precisando das coisas essenciais.

Precisamos aprender com essa mulher virtuosa. Ela cuida do marido, dos filhos, da casa, dos negócios e do próximo e faz tudo isso de bom grado (v. 13).

## Ela é elegante (Provérbios 31:17,22b)

A mulher virtuosa cuida do seu corpo e faz ginástica: "Cinge os lombos de força e fortalece os braços" (v. 17). Ela cuida da sua saúde. Ela tem uma correta autoestima. Ela se mantém em boa forma. Ela tem tempo para si mesma; para cuidar da sua saúde, da sua forma, da sua aparência. Ela não é uma mulher relaxada com a sua apresentação pessoal. Ela não é uma mulher flácida, relaxada com o seu aspecto físico.

Ela também se veste com elegância (v. 22b). Ela tem amor-próprio. Ela reconhece o seu próprio valor. Ela se preocupa com sua aparência pessoal, com sua apresentação. Ela tem bom gosto para se vestir. Ela sabe se apresentar em qualquer ambiente. Anda alinhada. Anda na moda. Veste-se com decência, com bom gosto.

Mulher, cuide de sua aparência! Isso é importante para sua autoimagem e para seu marido. Nenhum marido gosta de ter uma esposa relaxada no cuidado do corpo e na sua forma de vestir.

Hoje, vivemos dois extremos: aquelas mulheres que não cuidam do corpo, e aquelas que só cuidam do corpo. Umas são relaxadas; outras são fúteis. Hoje, vivemos a idolatração do corpo. As academias se multiplicam como cogumelos pelas ruas e avenidas das pequenas e grandes cidades. As pessoas estão cada vez mais cuidando da aparência e deixando de cultivar um espírito manso e tranquilo que tem grande valor diante de Deus. Não basta ter apenas uma boa aparência e ter uma vida interior sem consistência. Não basta apenas uma camada de verniz e ter um corpo em forma, se a alma está flácida e sem exercício espiritual.

### Ela é educadora (Provérbios 31:26)

A mulher virtuosa é uma conselheira sábia. Ela olha para a vida da perspectiva de Deus. Ela enxerga a vida pela ótica de Deus. Ela passa uma visão correta da vida para os filhos. Como precisamos de mães conselheiras. Peter Marshall, capelão do senado americano, escreveu um célebre sermão sobre as mães como as guardas das fontes. Ele falou de uma vila bucólica onde morava uma personagem misteriosa, que vivia nas matas limpando as fontes para que a água chegasse, na vila, límpida e saudável. Um dia, a câmara dos vereadores descobriu o salário do guarda das fontes e resolveu dispensá-lo do seu trabalho. Os vereadores resolveram construir uma grande caixa d'água e fazer a captação da água que descia das encostas. Não tardou para que a água chegasse àquele reservatório lodacenta. Os cisnes deixaram de pousar no chafariz da vila. Os pássaros, que alegram as tardes com suas vozes hilariantes, buscaram outros horizontes. As crianças, ao beberem uma água lodacenta, começaram a ficar doentes. Então, os vereadores se reuniram e perceberam que tinham tomado uma decisão equivocada. Imediatamente, contrataram de novo o guarda das fontes, e não tardou para que a água jorrasse límpida da mata, regando o chafariz da cidade. Não tardou para que o passaredo retornasse aos jardins da vila, e as crianças recobrassem outra vez a saúde. As mães são guardas das fontes. Elas limpam as fontes, removendo escombros, tirando entulhos e abrindo caminho para que a água jorre límpida e pura para abastecer as famílias e a sociedade. As mães são as maiores educadoras do mundo. Abraham Lincoln dizia que aquele que tem uma mãe piedosa nunca é uma pessoa pobre. Ele afirmou que as mesmas mãos que embalam o berço governam o mundo.

A mulher virtuosa é uma conselheira bondosa. A sua língua é uma fonte de bons conselhos, fala com ternura, com graça; não há rancor nem insensatez em suas palavras. Ela é prudente e bondosa no falar. Fala a verdade em amor. É uma mãe conselheira.

A mulher virtuosa tem tempo para os filhos e sabe ouvi-los. Precisamos priorizar os filhos. Precisamos ouvi-los sem censura, sem crítica. Precisamos manter o canal de comunicação aberto. Precisamos fazer do nosso lar um lugar de cura, de apoio, de ajuda. Nossos filhos são o nosso maior tesouro. Eles são a herança de Deus. De nada adianta ganhar o mundo inteiro e perder os filhos. Nenhum sucesso compensa a perda dos filhos.

A mulher virtuosa não provoca seus filhos à ira. Ela sabe dosar correção com encorajamento. Há mães que só cobram. Os filhos nunca conseguem satisfazer suas exigências. Se tira 9 numa prova de matemática, ela diz: "Deveria ter tirado 10". Uma mãe sábia jamais desencoraja os filhos. Ela sabe que sua língua é medicina. Ela compreende que suas palavras são mais poderosas que as circunstâncias mais difíceis que os filhos enfrentarão na vida.

## Ela é piedosa (Provérbios 31:25a,30)

A mulher virtuosa é uma mulher de vida moral irrepreensível (Provérbios 31:25). Força e dignidade são os seus atavios. É uma mulher de fibra, que tem raça, determinação. Ela tem um nome honrado, uma conduta digna, uma vida limpa, um comportamento irrepreensível.

Ela reconhece que sua maior beleza não é física, mas espiritual (Provérbios 31:30). Mulher que só pensa em academia, em ginástica, em butique, em salão de cabeleireiro, em cosméticos, em joias, em roupas caras, em aparência é mulher fútil, superficial, vazia, oca. O apóstolo Pedro fala que a principal beleza da mulher deve ser um espírito manso e tranquilo (1Pedro 3:3-5). A beleza interna deve ser maior do que a beleza externa.

A maior glória dessa mulher é andar com Deus. É temer a Deus. É levar Deus a sério. É ser serva. É andar em sintonia com o Senhor. A beleza passa, mas o temor do Senhor permanece para sempre.

Nós precisamos desesperadamente de mulheres piedosas. A família é o maior patrimônio moral que possuímos. Se a família naufraga, a sociedade entra em colapso. Não há esperança para a família, porém, sem mulheres que conheçam a Deus. Não há esperança para a juventude sem mães que sejam exemplo de piedade para os filhos.

## Ela é elogiada (Provérbios 31:28-31)

A mulher virtuosa é elogiada pelo marido (v. 28,29). Ela investe no marido e tem retorno garantido. Seu marido a considera a melhor mulher do mundo. Ela tem qualidades superlativas. Ele prodigaliza os mais efusivos elogios a ela. Ele a admira. Ele proclama para seus amigos a bênção superlativa que a esposa é em sua vida. Essa mulher é bem amada. Essa mulher tem o coração do seu marido.

Ela é elogiada também pelos filhos (v. 28). Ela não tem preferência por um filho em prejuízo de outro, como Rebeca, mulher de Isaque. TODOS os seus filhos a chamam de ditosa, de mulher feliz. Todos reconhecem que ela colhe o que semeou: a felicidade!

Seus filhos poderiam dizer que você, mãe, é uma mulher feliz? Seus filhos podem dizer que você é uma mulher bem amada? Você pode colocar o seu retrato na mesma moldura que ostenta a fotografia da mulher virtuosa?

A mulher virtuosa é, ainda, elogiada pelas suas obras (v. 31). Quem semeia bondade, quem planta a generosidade e quem cultiva a virtude, colhe os frutos abençoados dessa semeadura; quem investe a vida para fazer a vontade de Deus, colhe os frutos doces da alegria, da felicidade e da gratidão.

A mulher virtuosa é, sobretudo, elogiada por Deus (v. 30). Deus a exalta, a promove. Essa mulher tem reconhecimento não apenas na Terra, mas também no céu.

Essa mulher tem tempo para Deus, para o marido, para os filhos, para os necessitados, para si mesma. Sua vida é vivida no centro da vontade de Deus. Por isso, *Deus* a chama de preciosa. *Seus filhos* a chamam de ditosa, feliz. *Seu marido* diz que ela é a melhor mulher do mundo. *Suas obras* a louvam publicamente.

Você gostaria de imitá-la como mulher, serva de Deus, esposa e mãe? Victor Hugo, o mais famoso poeta romântico da França, que viveu no século 19, compôs um dos mais belos poemas sobre a grandeza da mulher. Esse poema pode ser um retrato da mulher virtuosa.

### O homem e a mulher

O homem é a mais elevada das criaturas.
A mulher é o mais sublime dos ideais.
Deus fez para o homem um trono, para a mulher, um altar.
O trono exalta, o altar santifica.
O homem é o cérebro, a mulher, o coração.
O cérebro produz a luz, o coração produz o amor.
A luz fecunda, o amor ressuscita.
O homem é gênio, a mulher é o anjo.
O gênio é imensurável, a mulher é indefinível.
A aspiração do homem é a suprema glória,
A aspiração da mulher é a virtude extrema.
A glória promove a grandeza,
a virtude conduz à divindade.
O homem tem a supremacia, a mulher, a preferência.
A supremacia significa a força,
a preferência representa o direito.
O homem é forte pela razão, a mulher,
invencível pelas lágrimas.
A razão convence, as lágrimas comovem.
O homem é capaz de todos os heroísmos,
a mulher, de todos os martírios.
O heroísmo nobilita, o martírio sublima.
O homem é o código, a mulher, o evangelho.
O homem é a águia que voa, a mulher,
o rouxinol que canta.
Voar é dominar o espaço, cantar é conquistar a alma.

O homem tem um fanal, a consciência;
A mulher tem uma estrela, a esperança.
O fanal guia, a esperança salva.
Enfim, o homem está colocado onde termina a Terra.
E a mulher, onde começa o céu.

# 8

# O perdão e a reconciliação são melhores do que o divórcio

Nestes tempos pós-modernos, os próprios alicerces do casamento estão abalados. A geração presente não aceita mais os absolutos de Deus. Os marcos antigos são arrancados, e cada um busca viver à mercê de suas próprias ideias. Neste mundo plural, pós-moderno e pós-cristão, prevalece a privatização dos conceitos e valores. Cada um estabelece para si mesmo o que é certo e errado. Não existe mais o conceito de uma lei absoluta e universal que rege a conduta e o comportamento. Com isso, a instituição do casamento é desprezada para legitimar o concubinato; os vínculos conjugais são afrouxados para se estimular o divórcio; a verdade é relativizada para justificar as atitudes egoístas. Na verdade, atualmente esperamos mais do casamento do que as gerações anteriores, e o respeitamos menos. Os vestidos de noiva estão cada vez mais brancos, e os véus, cada vez mais longos, mas a fidelidade aos votos sagrados do casamento estão cada vez mais fracos. As cerimônias de casamento se tornam cada vez mais fáceis, e os casamentos, cada vez mais difíceis.

Várias são as causas que contribuem para o espantoso crescimento do divórcio. Entre essas causas, estão a emancipação da mulher, a mudança de padrão no emprego (marido e esposa trabalham), o desemprego, o arrocho financeiro, as facilidades legais para o divórcio, o declínio da fé cristã, a falta de compreensão da santidade do casamento e a apologia do divórcio. Muitos consideram o casamento heterossexual, monogâmico, monossomático e indissolúvel uma instituição arcaica, rígida, obsoleta, opressiva, decadente e vitoriana.

Muitos casamentos sobrevivem, a despeito da crise; outros sucumbem na crise. O divórcio é uma dramática realidade na sociedade contemporânea que já atinge em alguns países o estonteante índice de 50%. Não podemos fechar os olhos a essa dramática realidade.

Os fariseus formularam uma pergunta sobre o divórcio a Jesus a fim de o experimentarem. Talvez esperassem também que Jesus falasse do divórcio de modo ofensivo a Herodes e a Herodias (Mateus 14:3). O lugar não era distante de Maqueros, onde João Batista fora preso e decapitado por denunciar o ilícito casamento do rei Herodes com Herodias. A oposição dos fariseus a Jesus era intermitente. Os fariseus desejavam enredar Jesus no surrado debate Shammai–Hillel. Jesus, obviamente, dissociou-se da frouxidão do rabi Hillel. Contudo, não entrou no jogo estéril de uma discussão inútil. Aproveitou o momento para reafirmar verdades fundamentais sobre o casamento.

Primeiro, *Jesus endossou a estabilidade do casamento.* Os laços matrimoniais são mais do que um contrato humano: são um jugo divino.

Segundo, *Jesus declarou que a provisão mosaica do divórcio era uma concessão temporária ao pecado humano.* O que os fariseus denominavam "mandamento", Jesus chamava de "permissão", e permissão relutante em virtude da obstinação humana, e não da intenção divina. O erro dos fariseus estava em ignorar a diferença entre a vontade absoluta de Deus (o casamento) e a provisão legal à pecaminosidade humana (o divórcio).

Terceiro, *Jesus chamou de adultério o segundo casamento depois do divórcio, caso este não tenha base sancionada por Deus.* Se acontecem um divórcio e um segundo casamento sem a sanção de Deus, então qualquer outra união que se segue, é ilegal, e adúltera.

Quarto, *Jesus permitiu o divórcio e o segundo casamento sobre a base única da imoralidade.* A imoralidade é a única cláusula de exceção estabelecida por Jesus. A infidelidade conjugal dá ao cônjuge traído o direito de divorciar-se e casar-se de novo. Certamente, isso não significa que, havendo infidelidade, o divórcio seja compulsório. O perdão é um caminho melhor do que a separação, como demonstraremos à frente.

O ensino de Jesus sobre esse magno assunto é absolutamente claro e necessário para nortear a nossa geração. Quando a artimanha dos fariseus, revelada por uma pergunta capciosa sobre o divórcio, foi desmantelada pela resposta de Jesus, elucidando que o casamento fora criado por Deus, mas o divórcio, pela dureza do coração humano, eles contra-atacaram com outra pergunta sutil: "Replicaram-lhe: Por que mandou, então, Moisés dar carta de divórcio e repudiar"? (Mateus 19:7). Longe de embaraçar Jesus, essa segunda pergunta dos fariseus deu a Ele a oportunidade de explicar sobre o divórcio:

> Respondeu-lhes Jesus: Por causa da dureza do vosso coração é que Moisés vos permitiu repudiar vossa mulher; entretanto, não foi assim desde o princípio. Eu, porém, vos digo: quem repudiar sua mulher, não sendo por causa de relações sexuais ilícitas, e casar com outra comete adultério [e o que casar com a repudiada comete adultério] (Mateus 19:8,9).

A partir desse texto, é possível tirar algumas conclusões sobre o ensino de Jesus a respeito do divórcio.

## O divórcio não é obrigatório

O casamento foi instituído por Deus; o divórcio não. O casamento é ordenado por Deus; o divórcio não. O casamento agrada a Deus; o divórcio não. Deus odeia o divórcio, mas ordena o casamento. Deus permite o divórcio, mas jamais o ordena. O divórcio jamais foi o ideal de Deus para a família.

A pergunta dos fariseus: "[...] porque mandou, então, Moisés dar carta de divórcio e repudiar?" (Mateus 19:7), revela o uso equivocado que os judeus faziam de Deuteronômio 24 nos dias de Jesus. O que Moisés disse sobre o divórcio?

Se um homem tomar uma mulher e se casar com ela, e se ela não for agradável aos seus olhos, por ter ele achado cousa indecente nela, e se ele lhe lavrar um termo de divórcio, e lho der na mão, e a despedir de casa; e se ela, saindo de sua casa, for e se casar com outro homem; e se este a aborrecer, e lhe lavrar termo de divórcio, e lho der na mão, e a despedir da sua casa ou se este último homem, que a tomou para si por mulher, vier a morrer, então, seu primeiro marido, que a despediu, não poderá tornar a desposá-la para que seja sua mulher, depois que foi contaminada, pois é abominação perante o Senhor; assim, não farás pecar a terra que o Senhor, teu Deus, te dá por herança (Deuteronômio 24:1-4).

É importante dizer que não foi Moisés quem instituiu o divórcio. Ele já existia antes de Moisés. O ensino de Moisés sobre divórcio em Deuteronômio 24:1-4 revela três pontos básicos: primeiro, o divórcio foi permitido com o objetivo de proibir o homem de tornar a se casar com a primeira esposa, caso tenha se divorciado dela. O propósito da lei era proteger a mulher do primeiro esposo imprevisível e talvez cruel. Dessa forma, a lei não foi estabelecida para estimular o divórcio. Segundo, a permissão para divorciar era apenas no caso de o marido achar na esposa alguma coisa indecente. Finalmente, se o divórcio era permitido, também o era o segundo casamento. Todas as culturas do mundo antigo entendiam que o divórcio trazia consigo a permissão de um novo casamento.

Os fariseus interpretaram equivocadamente a lei de Moisés sobre o divórcio; eles entenderam-na como um mandamento; Cristo a chamou de uma permissão, uma tolerância. Moisés não ordenou o divórcio; ele o permitiu.

É de suma importância entender pelo menos três ensinos fundamentais de Jesus sobre esse magno assunto em sua resposta aos fariseus.

O primeiro ensino é que há uma absoluta diferença entre ordenança (*eneteilato*) e permissão (*epetrepsen*). O divórcio não é uma ordenança, e, sim, uma permissão. Jesus como supremo e infalível intérprete das Escrituras deu o verdadeiro significado de Deuteronômio 24:1-4. Deus instituiu o casamento, e não o divórcio. Deus não é o autor do divórcio; o homem é o seu originador. O divórcio é uma instituição humana, não obstante ser ele reconhecido, permitido e regulamentado na Bíblia (Levítico 21:7,14; 22:13; Números 30:9; Deuteronômio 22:19,29; 24:1-4; Isaías 50:1; Jeremias 3:1; Ezequiel 44:22). O divórcio não foi instituído por Deus; ele é uma inovação humana.

O divórcio jamais deve ser encarado como ordenado por Deus ou uma opção moralmente neutra. Ele é uma evidência clara de pecado, o pecado da dureza do coração.

O segundo ensino de Jesus é um ponto pivotal em Deuteronômio 24:1-4. Qual é o significado da expressão "cousa indecente nela"? As palavras hebraicas são *erwath dabar*. Essas palavras tinham sido traduzidas de várias maneiras, incluindo "alguma cousa indecente", "alguma cousa vergonhosa", "alguma indecência", etc. Literalmente, as duas palavras hebraicas significam "uma questão de nudez". A maioria dos intérpretes concorda com John Murray, quando diz: "Não há evidência para provar que *erwath dabar* refere-se a adultério ou um ato de impureza sexual [...], nós podemos concluir que *erwath dabar* significa alguma indecência ou comportamento inapropriado". John

Murray argumenta que o termo *erwath dabar* não pode significar adultério pelas seguintes razões:

1. O Pentateuco prescrevia a morte para o adúltero (Levítico 20:10; Deuteronômio 22:22-27).
2. Números 5:11-31 trata do caso da suspeita não provada do adultério da esposa, e como o marido deveria agir, caso o espírito do ciúme viesse sobre ele. Assim, a questão de Deuteronômio 24:1-4 trata-se de outra coisa.
3. Deuteronômio 22:13-21 também tratou do caso de uma mulher acusada injustamente de prévia promiscuidade sexual, mas que demonstrou ser inocente. Assim, esse certamente não é o caso tratado em Deuteronômio 24.
4. Deuteronômio 22:23,24 trata do caso de uma noiva virgem comprometida que se deita com outro homem. A sanção para ambos era o apedrejamento.
5. Nem pode a "cousa indecente" de Deuteronômio 24:1 ser o caso retratado em Deuteronômio 22:25-27, onde a moça era forçada sexualmente. Nesse caso, só o homem era morto.
6. Nem a expressão "cousa indecente" referia-se ao sexo pré-marital entre um homem e uma mulher ainda não comprometidos. Nesse caso, o homem tinha o compromisso de casar-se com ela sem o direito de divorciar-se (Deuteronômio 22:28-29).

É importante observar que a lei de Moisés prescrevia a penalidade de morte para todos aqueles que cometiam adultério (Levítico 20:10; Deuteronômio 22:22). Os próprios inimigos de Cristo, os escribas e fariseus, apelaram para essa lei quando testaram Jesus, jogando a seus pés uma mulher apanhada em flagrante adultério e exigiram uma posição dele (João 8:1-11). A experiência de José, desposado com Maria (Mateus 1:18-25), indica que os judeus usaram o divórcio, em vez do apedrejamento, para lidar com uma esposa adúltera. Quando José descobriu que Maria, sua mulher, ainda não desposada, estava grávida, não sabendo ele ainda que ela estava grávida por obra do Espírito Santo, resolveu deixá-la secretamente. Sua deserção era o mesmo que divorciar-se dela. Em vez de exigir o apedrejamento de Maria, ele usou o expediente do divórcio. A penalidade de morte, estabelecida no Antigo Testamento, foi substituída pelo divórcio no Novo Testamento. Isto é o que ensina Jesus:

> Também foi dito: Aquele que repudiar sua mulher, dê-lhe carta de divórcio. Eu, porém, vos digo: qualquer que repudiar sua mulher, exceto em caso de relações sexuais ilícitas, a expõe a tornar-se adúltera; e aquele que casar com a repudiada comete adultério (Mateus 5:31,32).

Por implicação, Jesus revogou a penalidade de morte para o adultério e legitimou o divórcio nesse caso. Portanto, é crucial entender o significado de "cousa indecente" em Deuteronômio 24:1 para interpretar corretamente o que Moisés disse. John Murray ainda esclarece:

> A frase *erwath dabar* em si mesma, quando vista no contexto do Antigo Testamento, seguramente refere-se a alguma coisa vergonhosa. Não obstante o fato de que a frase *erwath dabar* só

ocorre mais uma vez no Antigo Testamento (Deuteronômio 23:14), a palavra *erwath* ocorre frequentemente no sentido de vergonhosa exposição do corpo humano (Gênesis 9:22,23; Êxodo 20:26; Lamentações 1:8; Ezequiel 16:36,37). Além do mais, a palavra é frequentemente usada para um ilícito intercurso sexual (Levítico 18), muito embora não há evidência para mostrar que a frase *erwath dabar* significa intercurso sexual ilícito em Deuteronômio 24:1.

Foi exatamente a interpretação da expressão "cousa indecente" que dividiu as escolas do rabi Hillel e do rabi Shammai, famosos eruditos judeus do século 1. Hillel defendia uma posição liberal e dizia que o marido podia divorciar-se da esposa por quase qualquer razão, enquanto Shammai defendia uma posição restrita e radical e afirmava que Moisés, se referia especificamente ao pecado sexual. A escola de Shammai enfatizou a palavra "indecente" e a interpretou como adultério, fazendo este ser o único fundamento para o divórcio. A escola de Hillel, por sua vez, escolheu como base de sua exegese a palavra "cousa" e, assim, buscou uma saída para justificar qualquer "cousa" como base para o divórcio. Para a escola de Hillel, "cousa" pode ser, por exemplo, a esposa deixar uma comida queimar no fogo, ou o marido ver uma mulher que lhe agrada mais, ou a esposa levar o marido a comer alguma coisa que ele não aprecia. John Murray diz que, para interpretar corretamente o significado da expressão "cousa indecente" em Deuteronômio 24:1, é preciso buscar um equilíbrio entre a rígida interpretação da escola de Shammai e a permissiva interpretação da escola de Hillel.

O terceiro ensino de Jesus sobre o divórcio é a respeito da dureza do coração (Mateus 19:8). O divórcio acontece por que os corações não são sensíveis. O divórcio é produto de corações endurecidos. O divórcio só floresce no deserto árido da insensibilidade e da falta de perdão. O divórcio é desobediência aos imutáveis princípios de Deus. Ele é uma conspiração contra a lei de Deus. O divórcio é uma consequência do pecado, e não uma expressão da vontade de Deus. Deus odeia o divórcio, diz o profeta Malaquias: "Porque o Senhor, Deus de Israel, diz que odeia o repúdio [...]" (Malaquias 2:16). Ele é uma profanação da aliança feita entre o homem e a mulher da sua mocidade, uma deslealdade, uma falta de bom senso, um ato de infidelidade (Malaquias 2:10-16). Divórcio é a negação dos votos de amor, compromisso e fidelidade. Ele é apostasia do amor.

A dureza do coração é a indisposição de obedecer a Deus e perdoar um ao outro. Onde não há perdão, não há casamento. Onde a porta se fecha para o perdão, abre-se uma avenida para a amargura, e o destino final dessa viagem é o divórcio. O divórcio acontece não por determinação divina, mas por que os corações são duros. O divórcio não é uma ordenança divina. Ele não é compulsório nem mesmo em caso de adultério. O perdão e a reconciliação são melhores do que o divórcio.

## O divórcio é permitido sob determinada condição

O divórcio não é o ideal de Deus para o homem e a mulher. Deus não o instituiu. Na verdade, Ele odeia o divórcio, diz o profeta Malaquias (Malaquias 2:16). Jesus disse que Deus permitiu o divórcio, mas jamais o estabeleceu como fruto da sua vontade: "Respondeu-lhes Jesus: Por causa da dureza do vosso coração é que Moisés vos permitiu repudiar vossa mulher; entretanto, não foi assim desde o princípio" (Mateus 19:8). Deus criou o homem e a mulher, instituiu o casamento, abençoou-o e estabeleceu o propósito de que ambos guardem seus votos de fidelidade até que a morte os separe. Jesus é enfático: "[...] Portanto, o que Deus ajuntou não o separe o homem" (Mateus 19:6). Homem nenhum recebeu a autoridade de separar o que Deus uniu: nem o marido, nem a esposa, nem o magistrado civil, nem o pastor ou sacerdote religioso. Portanto, onde quer que o divórcio aconteça, ele não é o perfeito propósito de Deus para o casamento. O divórcio jamais representa uma norma, ou padrão, de Deus para o homem. Por causa da dureza do coração, Jesus permitiu o divórcio em caso de adultério, mas não o permitiu em outros casos. "Eu, porém, vos digo: quem repudiar sua mulher, não sendo por causa de relações sexuais ilícitas, e casar com outra comete adultério [e o que casar com a repudiada comete adultério]" (Mateus 19:9).

Mesmo no tempo do Antigo Testamento, seria um equívoco falar do divórcio como um direito. Muito embora a prática do divórcio fosse bem conhecida nesse tempo, não podemos considerá-lo um direito ou um expediente divinamente aprovado. A lei judaica não instituiu o divórcio, mas o tolerou; em virtude da imperfeição da natureza humana, baixou normas para limitá-lo e impedir seu uso abusivo. O divórcio só é permitido quando o cônjuge infiel se torna obstinado na sua recusa de interromper a prática da infidelidade conjugal. A consequência desse ensino é que o cônjuge traído pode, legitimamente, divorciar-se do cônjuge infiel sem estar, por isso, sob o juízo de Deus.

A infidelidade conjugal é um ataque à própria essência do vínculo matrimonial. Nesse caso, o cônjuge que trai está "separando" o que Deus uniu. Nesse caso, o cônjuge traído tem o direito de divorciar-se e casar-se de novo. Obviamente, o perdão deve ser oferecido antes desse passo final. Contudo, o perdão implica arrependimento da pessoa faltosa. Um cônjuge não arrependido de sua infidelidade e contumaz em seu pecado pode ser deixado mediante o divórcio, embora essa decisão não seja compulsória.

O próprio Deus divorciou-se de Israel por causa da infidelidade da nação. Israel desprezou o Senhor e entregou-se aos abomináveis ídolos das nações vizinhas, servindo-os e prostituindo-se com eles. O profeta Jeremias trata desse assunto nos seguintes termos:

> Disse mais o SENHOR nos dias do rei Josias: Viste o que fez a pérfida Israel? Foi a todo monte alto e debaixo de toda árvore frondosa e se deu ali a toda prostituição. E, depois de ela ter feito tudo isso, eu pensei que ela voltaria para mim, mas não voltou. A sua pérfida irmã Judá viu isto. Quando, por causa de tudo isto, por ter cometido adultério, eu despedi a pérfida Israel e lhe dei carta de divórcio, vi que a falsa Judá, sua irmã, não temeu; mas ela mesma se foi e se deu à prostituição (Jeremias 3:6-8).

O arrependimento muda a situação. A despeito do pecado de Israel, Deus ainda a busca e deseja ardentemente o seu retorno: "[...] Ora, tu te prostituíste com muitos amantes; mas, ainda assim, torna para mim, diz o SENHOR" (Jeremias 3:1). O caminho da reconciliação e da restauração é o arrependimento: "Convertei-vos, ó filhos rebeldes, diz o

SENHOR; porque eu sou o vosso esposo e vos tomarei [...] e vos levarei a Sião" (Jeremias 3:14). A disposição de Deus não é apenas de perdoar o seu povo infiel, mas também de curar a sua infidelidade: "Voltai, ó filhos rebeldes, eu curarei as vossas rebeliões" (Jeremias 3:22). O arrependimento remove a causa que provoca o divórcio. O arrependimento é a disposição íntima de mudança e a determinação de voltar à aliança conjugal feita diante de Deus. Não há divórcio onde existe arrependimento e perdão. Só há um pecado imperdoável, e esse pecado não é o divórcio. Seguindo o exemplo do profeta Oseias, que exemplificou para a nação de Israel o amor compassivo de Deus, o cônjuge deveria perdoar e receber de volta a parte infiel (Oseias 2:14-22). O perdão é melhor do que o divórcio.

Jesus declarou de forma expressa: "[...] por causa da dureza do vosso coração é que Moisés vos permitiu repudiar vossa mulher; entretanto, não foi assim desde o princípio" (Mateus 19:8). Com isso, Jesus está dizendo que o cônjuge traído não tem de se divorciar compulsoriamente por causa da infidelidade de seu consorte. Existe outro caminho que pode, e deve, ser percorrido, o caminho do perdão, da cura paciente e da restauração do relacionamento quebrado. Essa deve ser a abordagem cristã para esse problema. Mas, infelizmente, por causa da dureza dos corações, é impossível, algumas vezes, curar as feridas e salvar o casamento. O divórcio é a opção final, e não a primeira opção.

## O divórcio não é válido por qualquer motivo

Em Mateus 19:9, Jesus deu a cláusula exceptiva para o divórcio: "Eu, porém, vos digo: quem repudiar sua mulher, não sendo por causa de relações sexuais ilícitas, e casar com outra comete adultério [e o que casar com a repudiada comete adultério]". Jesus declara que o casamento é uma união física permanente que só pode ser desfeita por uma causa física: a morte ou a infidelidade sexual. Jesus foi enfático em afirmar que o divórcio não só não era permitido "por qualquer motivo" (Mateus 19:3), mas não era permitido por motivo algum, exceto por "relações sexuais ilícitas" (Mateus 19:9). A única exceção e a única razão legal para pôr fim a um casamento é *porneia*, o termo grego que abrange adultério, homossexualismo e bestialidade. O julgamento de Jesus sobre a questão do adultério é mais leve que a lei judaica. A lei judaica sentenciava com pena de morte os adúlteros. Mas o julgamento de Jesus sobre o divórcio é mais pesado do que a lei judaica. Para Jesus, só havia uma cláusula exceptiva para o divórcio, e não várias, e esta era as relações sexuais ilícitas.

Há um grande debate entre os eruditos sobre o real significado da palavra grega *porneia*. Alguns estudiosos da Bíblia interpretam-na como incesto. Outros, argumentam que ela significa fornicação, ou seja, relação sexual pré-marital. Quando um homem descobria que a sua noiva não era mais virgem, ele podia divorciar-se dela. José, desposado com Maria, ao descobrir que ela estava grávida, não sabendo que sua gravidez era obra do Espírito Santo e não querendo infamá-la, resolveu deixá-la secretamente (Mateus 1:18-20). Outros estudiosos, ainda, interpretam *porneia* como adultério. Não obstante a palavra específica para adultério ser *moicheia*, a palavra grega *porneia* tem um sentido muito vasto, abrangendo inclusive o adultério. Assim, *porneia* abrange todos os pecados sexuais, e só o contexto pode definir a que pecado específico se refere. Tanto em Mateus 5:32 como em Mateus 19:9, *porneia* refere-se ao intercurso sexual extraconjugal por parte da mulher, o que na prática é adultério. Jesus não ensinou que a parte inocente deve divorciar-se do cônjuge infiel, mesmo que a infidelidade conceda base legal para o divórcio. Jesus nem mesmo encorajou ou recomendou o divórcio por infidelidade. O que Jesus enfatizou é que o único divórcio e novo casamento que não equivaliam ao adultério eram o da parte inocente, cujo cônjuge fora infiel. Assim, o propósito de Jesus não era encorajar o divórcio por essa razão, mas desencorajá-lo por qualquer outra razão. É a única exceção que dá proeminência à ilegalidade de qualquer outra razão. Não se deve jamais permitir que a preocupação com a única razão obscureça a força da negação de todas as outras.

Em Mateus 19:9, há uma combinação de duas cláusulas, a saber, a cláusula exceptiva (*me epi porneia*) e a cláusula do novo casamento (*kai gamese allen*). A questão da legitimidade do novo casamento para o cônjuge inocente, depois do divórcio por adultério, não deveria sequer ser levantada com base em Mateus 19:9. Isso por que, se um homem pode divorciar-se legítima e legalmente de sua esposa infiel, e se o tal divórcio dissolve os vínculos conjugais, a questão do novo casamento é uma medida inevitável.

Jesus Cristo mostrou que o casamento, exceto em casos de relações sexuais ilícitas, é indissolúvel. Seus argumentos são claros:

Em primeiro lugar, *o casamento é indissolúvel por causa da instituição divina*. Em vez de responder à pergunta dos inquiridores acerca do divórcio, Jesus fez-lhes uma outra pergunta: "[...] não tendes lido que o Criador, desde o princípio, os fez homem e mulher e que disse: Por esta causa deixará o homem pai e mãe e se unirá a sua mulher, tornando-se os dois uma só carne?" (Mateus 19:4,5). Antes de falar de divórcio, Jesus falou de casamento. Antes de tratar do assunto inquirido, Jesus os levou de volta às Escrituras. A razão da multiplicação incontrolável de divórcios na sociedade contemporânea é a mesma dos tempos antigos: as pessoas buscam o divórcio sem antes entender o que as Escrituras dizem sobre o casamento. Se entendêssemos melhor a instituição divina do casamento, buscaríamos menos a fuga dele pelo divórcio.

Em segundo lugar, *o casamento é indissolúvel por causa do expresso mandamento registrado nas Escrituras*: "[...] por esta causa deixará o homem pai e mãe e se unirá a sua mulher, tornando-se os dois uma só carne? De modo que já não são mais dois, porém uma só carne [...]" (Mateus 19:5,6). O casamento é uma decisão voluntária, e não compulsória. Ele não é imposto, mas desejado. A união do marido com a sua mulher é mais desejada do que a permanência do marido com os próprios pais. Essa união é mais profunda do que a união que teve, e tem, com os pais. Marido e mulher são uma só carne. Antes de se unir em casamento, é preciso deixar pai e mãe. Esse deixar físico não significa deixar emocionalmente. Os filhos casados não amam menos os pais por se unirem ao seu cônjuge. Deixar pai e mãe implica que o novo lar terá independência emocional e financeira para seguir o seu próprio caminho como uma nova célula da sociedade. Terá liberdade para traçar a sua própria rota e destino. A intervenção dos pais no casamento dos filhos está em desacordo com o ensino bíblico. Ajudar os filhos em suas necessidades, orientá-los em suas perplexidades e animá-los em suas crises é uma atitude sensata e desejável, mas controlar os filhos e tirar-lhes a liberdade e o direito de constituírem um novo lar com a sua própria liderança é algo desastroso.

A união entre marido e mulher é uma união legal e física. O casamento é mais do que o intercurso sexual entre um homem e uma mulher. Essa relação é legítima, legal e santa. Ela tem a bênção dos pais, a legitimidade social e a aprovação de Deus. Essa união física não é pecaminosa, mas santa; não é proibida por Deus, mas ordenada por Ele. Essa união é indivisível. A palavra hebraica para *se unirá* é a mesma usada para colar duas folhas finas de papel. É impossível separá-las sem rasgá-las ou agredi-las. O divórcio é sempre traumático. É como rasgar a carne de uma pessoa. Produz dor, sofrimento e deixa marcas indeléveis.

Pelo fato de o marido e a mulher tornarem-se uma só carne, o divórcio conspira contra esse mandamento de Deus, separando o que é indivisível e indissolúvel. Eis a razão por que Deus odeia o divórcio (Malaquias 2:16). O princípio da indissolubilidade da aliança matrimonial é resultado da sua própria essência. Aquilo que não se compõe de partes também não pode ser dividido em partes.

Em terceiro lugar, *o casamento é indissolúvel porque nenhum ser humano tem autoridade para dissolver o que Deus ajuntou*. Assim diz Jesus: "[...] portanto, o que Deus ajuntou não o separe o homem" (Mateus 19:6). A palavra grega *antropos* aqui está no neutro e significa homem, mulher, magistrado, pastor, sacerdote ou qualquer outro ser humano. Nenhuma autoridade da terra tem competência para separar o que Deus uniu. Uma lei não é justa nem moral apenas por ser lei. Mesmo que uma pessoa receba a certidão de divórcio do magistrado civil e se case de novo, sob os auspícios da lei, se o motivo do divórcio não foi legítimo à luz das Escrituras, o novo casamento também é ilegítimo aos olhos de Deus, visto que o primeiro casamento não foi anulado legitimamente. Nesse caso, o segundo casamento é uma bigamia e constitui-se em adultério. A legalidade civil do divórcio não anula o princípio bíblico. A Bíblia está acima de qualquer lei civil. O fato de uma pessoa estar quite com a lei dos homens não significa necessariamente que está quite com a lei de Deus.

Em quarto lugar, *o casamento é indissolúvel em virtude do exemplo do primeiro casamento instituído por Deus*. Vejamos o que dizem as Escrituras:

> Replicaram-lhe: Por que mandou, então, Moisés dar carta de divórcio e repudiar? Respondeu-lhes Jesus: Por causa da dureza do vosso coração é que Moisés vos permitiu repudiar vossa mulher; entretanto, não foi assim desde o princípio (Mateus 19:7,8).

Jesus deixou claro que, embora o divórcio tenha sido tolerado e permitido pela lei judaica, para que abusos não fossem cometidos, esse não foi o padrão de Deus quando instituiu o primeiro casamento. Definitivamente, Deus não instituiu o divórcio. Ele é consequência da dureza do coração humano, e não fruto do amoroso coração de Deus.

Em quinto lugar, *o casamento é indissolúvel por causa das terríveis consequências da separação*. Jesus diz: "Eu, porém, vos digo: quem repudiar sua mulher, não sendo por causa de relações sexuais ilícitas, e casar com outra comete adultério [e o que casar com a repudiada comete adultério] (Mateus 19:9).

O divórcio só é tolerado em caso de relações sexuais ilícitas (Mateus 19:9) e de abandono irremediável (1Coríntios 7:15). Além dessas únicas cláusulas exceptivas estabelecidas pelas Escrituras, o divórcio e o novo casamento constituem adultério. Obviamente, se os laços do primeiro casamento não forem de forma legítima desfeitos uma nova união implica em adultério. O novo casamento só é permitido para o cônjuge fiel, vítima da infidelidade ou abandono.

Quando os discípulos ouviram o ensino de Jesus sobre casamento e divórcio, eles concluíram o seguinte: "Disseram-lhe os discípulos: Se essa é a condição do homem relativamente à sua mulher, não convém casar. Jesus, porém, lhes respondeu: Nem todos são aptos para receber esse conceito, mas apenas aqueles a quem é dado" (Mateus 19:10-11). Jesus não elasteceu os limites para o expediente do divórcio. Esses postulados são imutáveis, ainda que a sociedade contemporânea os rejeite para a sua própria ruína.

## O ensino de Paulo sobre divórcio

Se um casal vive uma crise conjugal de tal monta, que o estar juntos se tornou insustentável e eles se separam, o caminho estabelecido pela Palavra de Deus é a reconciliação ou, então, permanecer separados sem contrair novas núpcias. O apóstolo Paulo assim diz:

Ora, aos casados, ordeno, não eu, mas o Senhor, que a mulher não se separe do marido (se, porém, ela vier a separar-se, que não se case ou que se reconcilie com seu marido); e que o marido não se aparte de sua mulher (1Coríntios 7:10,11).

Quando um dos cônjuges separados se casa novamente, sem base bíblica, ou seja, não sendo por infidelidade sexual ou abandono, esse cônjuge comete adultério, porque Deus não reconhece a validade do seu divórcio (Mateus 5:32; Marcos 10:11). Uma vez que a referida pessoa se divorciou e se casou novamente sem base bíblica, esse segundo casamento constitui-se em adultério. O apóstolo Paulo assim ensina sobre o divórcio:

Ora, aos casados, ordeno, não eu, mas o Senhor, que a mulher não se separe do marido (se, porém, ela vier a separar-se, que não se case ou que se reconcilie com seu marido); e que o marido não se aparte de sua mulher. Aos mais digo eu, não o Senhor: se algum irmão tem mulher incrédula, e esta consente em morar com ele, não a abandone; e a mulher que tem marido incrédulo, e este consente em viver com ela, não deixe o marido. Porque o marido incrédulo é santificado no convívio da esposa, e a esposa incrédula é santificada no convívio do marido crente. Doutra sorte, os vossos filhos seriam impuros; porém, agora, são santos. Mas, se o descrente quiser apartar-se, que se aparte; em tais casos, não fica sujeito à servidão nem o irmão, nem a irmã; Deus vos tem chamado à paz (1Coríntios 7:10-15).

O apóstolo Paulo ensina basicamente três verdades fundamentais no texto mencionado.

Primeiro, *ele fornece instrução apostólica autorizada*. A antítese que estabelece entre o versículo 10 e o versículo 12 não põe em mútua oposição o seu ensino e o de Cristo. Seu contraste não é entre o ensino divino infalível (de Cristo) e o ensino humano falível (o seu), mas entre duas formas de ensino divino e infalível, uma procedente do Senhor e outra apostólica.

Segundo, *Paulo repete e reafirma a proibição de Jesus relativa ao divórcio*. Nos versículos 10 e 11, como em seu ensino em Romanos 7:1-3, a proibição do divórcio é afirmada em termos absolutos.

Terceiro, *Paulo admite o divórcio na base da deserção de um cônjuge incrédulo*. Nos versículos 12 a 16, Paulo trata daquela situação surgida ao se casarem dois não-cristãos, dos quais um posteriormente se converte a Cristo. Se o cônjuge incrédulo deseja viver com o crente, então o crente não deve recorrer ao divórcio. Mas se o cônjuge incrédulo não quer ficar e decide partir, então, o cristão, ou a cristã, não está preso e fica livre para divorciar-se e casar novamente. Paulo diz:

> Que o crente não pode separar-se do cônjuge incrédulo por ser incrédulo (v. 12). O desacordo de fé não é uma base legítima para o divórcio (v. 13). O cônjuge incrédulo e os filhos são santificados pela sua relação com o cônjuge crente (v. 14). Mas, se o crente, homem ou mulher, for abandonado pelo cônjuge incrédulo, fica livre do jugo conjugal (v. 15). Assim, o apóstolo Paulo proíbe a prática do divórcio entre crentes. Contudo, ele aprova o divórcio no caso de deserção e abandono: "Mas, se o descrente quiser apartar-se, que se aparte;

em tais casos, não fica sujeito à servidão nem o irmão, nem a irmã; Deus vos tem chamado à paz" (1Coríntios 7:15).

A cláusula exceptiva do adultério, ensinada por Cristo, não nega, por implicação, o ensino de Paulo sobre o abandono, e Paulo positivamente ensinou o que Cristo não negou. Não há choque entre o ensino de Jesus e o ensino de Paulo. A restrição de Cristo sobre a infidelidade conjugal como o fundamento para o divórcio não é inconsistente com a admissão de Paulo sobre o abandono como outro fundamento para o divórcio. O ensino de Paulo não contradiz o ensino de Cristo. Paulo e Cristo não estão em conflito nessa matéria. Cristo fala da base positiva para o divórcio; Paulo, da base passiva para ele. Cristo fala que o cônjuge traído pode dar carta de divórcio. A iniciativa do divórcio é do cônjuge inocente. Paulo fala que o cônjuge abandonado está livre do jugo conjugal. Assim, a iniciativa do divórcio não é do cônjuge abandonado, mas daquele que abandonou. O cônjuge abandonado pode apenas reconhecer o fato do seu abandono. No ensino de Paulo, é a parte culpada que toma a iniciativa da deserção ou do divórcio. No ensino de Jesus, é a parte inocente que toma a iniciativa do divórcio. Cristo falou de uma separação voluntária; Paulo, de uma separação contra a vontade do cônjuge abandonado.

Podemos sintetizar essa questão do divórcio da seguinte maneira: Casamento legítimo — Motivo legítimo — Divórcio legítimo = Novo casamento legítimo. Casamento legítimo — Motivo ilegítimo — Divórcio ilegítimo = Novo casamento ilegítimo.

O divórcio e o novo casamento, especialmente fora dos parâmetros bíblicos, acarretam muitas outras consequências, tanto para os cônjuges separados como para os filhos. As reverberações desses danos atingem também a família, os amigos, a igreja e a sociedade como um todo. A fragilidade da família desestabiliza todas as demais relações e abala os próprios alicerces da sociedade. Para muitos filhos, o divórcio dos pais é mais drástico do que a própria morte de um deles. Em muitos casos, o divórcio é um luto permanente de pais vivos.

Apenas uma de cada dez crianças sente-se aliviada com o divórcio dos pais. No divórcio, as crianças perdem algo que é fundamental para o seu desenvolvimento, a estrutura familiar. Quando o círculo familiar se rompe, os filhos se sentem vulneráveis, dando-lhes uma sensação de medo, tristeza, perda, abandono e revolta. Crianças de todas as idades sentem-se intensamente rejeitadas quando os pais se divorciam. Espera-se que os pais façam sacrifício pelos filhos, e não que estes se sacrifiquem pelos pais. As crianças sentem uma intensa solidão. O divórcio dos pais é uma experiência pungente, dolorosa e até mesmo indelével na vida de muitos filhos.

Para as crianças, o divórcio dos pais não significa uma nova chance, mas um futuro sombrio. E isso lhes causa grande sofrimento e muita insegurança. Sentem que sua infância ficou perdida para sempre. O divórcio é o preço que os filhos pagam pelo fracasso dos pais. As sequelas do divórcio dos pais comprometem, muitas vezes, o futuro dos filhos. O produto desse desastrado desenlace são filhos inseguros, complexados e revoltados.

## O perdão é melhor do que o divórcio

O divórcio não é um mandamento de Deus, mas uma decisão do homem. Ele nasceu na Terra, não no céu; é fruto da dureza do coração humano, e não do coração amoroso de Deus. Deus instituiu o casamento, nunca o divórcio. Ele tolerou o divórcio e o permitiu em específicas condições, mas a verdadeira causa motriz do divórcio é a dureza do coração (Mateus 19:8).

O que é dureza do coração? É a incapacidade de perdoar. Jesus já havia tratado desse importante assunto no capítulo anterior de Mateus (Mateus 18:21-35). Onde há perdão, não há necessidade de divórcio. O divórcio é a afirmação de que a ferida não tem cura. O divórcio é a desistência definitiva de um relacionamento machucado. O perdão, entretanto, cura a ferida, restaura o relacionamento e renova o casamento.

Há algumas verdades sublimes sobre o perdão na Bíblia:

A primeira é que devemos perdoar uns aos outros assim como Deus, em Cristo, nos perdoou. O perdão de Deus é completo, final e constante. Sempre que chegamos a Deus com um coração contrito, Ele está pronto a nos perdoar. Se confessarmos os nossos pecados, Ele é fiel e justo para nos perdoar. Ele é rico em perdão e tem prazer na misericórdia. Nossa condição seria desesperadora diante de Deus, se Ele limitasse o seu perdão a nós. Seríamos consumidos pelos nossos pecados se Deus não nos tratasse segundo as suas muitas misericórdias. Ele jamais rejeita o coração quebrantado e o espírito contrito. Sempre encontramos graça e restauração diante do trono de Deus. Ele é quem perdoa os nossos pecados e deles nunca mais Se lembra.

Ele apaga as nossas transgressões como a névoa. Ele joga os nossos pecados para trás das suas costas. Ele lança os nossos pecados nas profundezas do mar e os afasta de nós como o Oriente está afastado do Ocidente. Assim também devemos perdoar uns aos outros. Como Deus nos perdoa, devemos perdoar. O perdão de Deus é o nosso referencial e modelo. Assim como Deus perdoa e restaura, devemos perdoar aos que nos ofendem e restaurá-los. Deus perdoa e continua perdoando sempre que nos achegamos a Ele com o coração arrependido. Da mesma forma, devemos perdoar aos nossos devedores.

A segunda verdade sublime sobre o perdão é que pedimos que Deus perdoe as nossas dívidas assim como perdoamos aos nossos devedores. Agora a posição se inverte. Antes, vimos que o perdão divino é o padrão mediante o qual devemos perdoar aos nossos ofensores. Agora, pedimos a Deus que Ele nos perdoe assim como nós perdoamos. Agora o perdão que damos é o padrão mediante o qual pedíamos que Deus nos trate. É impossível fazer a oração do Senhor sem espírito perdoador. Se o nosso coração é um poço de mágoa e vingança, não podemos orar como o Senhor nos ensinou, pois estaríamos pedindo juízo sobre a nossa cabeça, em vez de misericórdia; condenação, em vez de perdão. O perdão é o remédio para as tensões conjugais, e não o divórcio.

A terceira verdade sublime sobre o perdão é que ele é restaurador. Não podemos carregar no coração o peso da mágoa. Quem não perdoa, não tem paz nem consegue adorar a Deus. Quem não perdoa, não consegue orar com eficácia, mas vive atormentado pelos flageladores. Quem não perdoa, adoece. O perdão é a assepsia da alma, é a faxina do coração, é a cura das memórias amargas, é a amnésia do amor, é a libertação dos grilhões do ressentimento. Perdoar é lembrar sem sentir dor.

O perdão, sobretudo, é um atitude de amor que visa não apenas a zerar as contas do passado, mas também a restaurar os relacionamentos quebrados. Quando Deus nos perdoa, ele não apenas cancela a nossa dívida, mas nos restaura e nos dá dignidade em sua presença. Ele nos dá nova chance de vivermos vitoriosamente. Deus não apenas nos levanta do pó, mas nos faz assentar entre príncipes. Essa verdade pode ser vista de forma eloquente na parábola do filho pródigo.

O filho mais moço começa um processo de naufrágio em sua vida quando se deixa dominar por um espírito de descontentamento na casa do Pai. Ele tinha tudo, mas estava insatisfeito. Ele era feliz inconscientemente. Então, deu mais um passo na direção do fracasso, pedindo antecipadamente a sua herança. Ele matou o pai em seu coração. Ele buscou os prazeres e as aventuras do mundo com toda a ânsia do seu coração. O mundo se tornou mais importante para ele do que o pai. Estava cercado de amigos, programas, festas e muita diversão. Ele vivia embalado nas asas das aventuras mais requintadas. Estava bebendo todas as taças dos prazeres que o mundo podia lhe oferecer. Ele era infeliz inconscientemente. Mas as alegrias do pecado são falsas e passageiras. A máscara caiu. O dinheiro acabou. Os amigos fugiram. Ele ficou só, desamparado e mergulhado em profunda tristeza. Começou a passar fome. Rebaixou-se, foi ao fundo do poço, foi parar num chiqueiro para cuidar de porcos imundos. Agora, era infeliz conscientemente. No auge do seu desespero, o pródigo lembrou-se do pai e tomou a decisão de voltar para casa. Pensou nos seus erros, na loucura das suas escolhas, na tragédia das suas perdas, no desbarrancamento da sua reputação, na perda dos seus direitos. Pensou em ser recebido apenas como um empregado. Levantou-se e, então, encetou a caminhada de retorno ao pai. Mas o pai, longe de o reprovar, de o censurar, de esmagar a cana quebrada e de o escorraçar de casa, correu ao seu encontro, abraçou-o e beijou-o. Finalmente, ele era feliz conscientemente.

Essa parábola nos ensina tremendas lições sobre perdão:

Em primeiro lugar, *Jesus nos ensina que o perdão cancela o passado por mais horrendo que ele tenha sido.* O pai mandou tirar os trapos sujos de lama de seu filho e colocar nele um traje novo. Quando as pessoas olhassem para ele, não veriam nenhum vestígio da sua miséria passada. Esse seria um segredo apenas entre o Pai e o filho, perdoado para sempre. Assim devemos perdoar aos que nos ofendem. Não devemos reviver as histórias passadas que nos magoaram. Não devemos nunca mais expor a pessoa que nos ofendeu ao ridículo. Pelo contrário, devemos cobri-la com vestes novas. É assim que devemos desejar que as outras pessoas a vejam. Quando o filho mais velho se recusou a entrar na casa e se alegrar com a restauração do irmão, o pai não deu guarida à sua acusação. Para o coração perdoador do pai, o passado de seu filho era uma página virada, um livro fechado, um caso encerrado que não devia mais ser revivido.

Em segundo lugar, *Jesus nos ensina que o perdão restaura a pessoa caída e lhe devolve a dignidade.* O pai mandou colocar um anel no dedo do filho. Ele não era um escravo, mas filho. O filho queria ser apenas um escravo, mas o pai lhe restaurou a filiação, a dignidade. Como escravo, aquele filho estaria sempre se cobrando, sempre lembrando das suas tragédias, sempre se penalizando. O pai não apenas cancelou o seu passado, mas restaurou o seu presente. O pai não apenas perdoou a sua dívida, mas lhe devolveu o direito de herança.

Em terceiro lugar, *Jesus nos ensina que o perdão abre as portas para a celebração da reconciliação*. O pai não apenas recebeu o filho de volta, mas festejou o seu retorno. Deu um grande banquete. Houve músicas e danças de alegria. Aquele filho estava perdido e fora achado, estava morto e agora, vivo. O perdão é a festa da restauração. É a celebração festiva do reencontro. É o banquete da reconciliação. A Bíblia diz que há festa diante dos anjos por um pecador que se arrepende e se volta para Deus. Há muito mais alegria na restauração de um casamento quebrado do que na fuga dele pelo divórcio.

A quarta verdade sublime sobre o perdão é que ele deve ser transcendental. Quando os discípulos ouviram Jesus falar sobre o aspecto ilimitado do perdão, eles exclamaram: "Senhor: Aumenta-nos a fé" (Lucas 17:5). O perdão está sempre além e acima das nossas forças humanas. Extrapola as fronteiras da capacidade humana. Daí, a súplica dos discípulos: "Senhor: Aumenta-nos a fé". Aqui encontramos algumas lições preciosas sobre o perdão:

Em primeiro lugar, *somente o Senhor pode nos capacitar a perdoar*. O perdão é obra de Deus em nós. O perdão não é resultado de um temperamento manso, mas da graça de Deus em nosso coração. Só Jesus pode nos ensinar a perdoar de verdade. Só Ele pode arrancar do nosso peito a dor da traição. Só Ele pode curar as feridas profundas do coração

## O perdão e a reconciliação são melhores do que o divórcio | 147

de um cônjuge que foi traído, abandonado e trocado por outra pessoa. Só Jesus pode sarar a alma de uma filha que foi abusada sexualmente pelo próprio pai. Só Jesus pode curar as memórias amargas de uma pessoa que foi rejeitada desde o ventre materno e nunca conheceu o que é amor de pai e mãe. Só Jesus pode capacitar um cônjuge a perdoar o seu consorte de uma infidelidade sexual. Só Jesus pode aliviar as tensões do coração daqueles que foram abusados, injustiçados, caluniados, pisados e perseguidos. Só Jesus pode nos capacitar a perdoar e a liberar perdão.

O perdão não é fácil. Fácil é falar sobre perdão. Perdoar é morrer para nós mesmos. Perdoar é sair em defesa da pessoa que nos ofendeu e atenuar a culpa daqueles que nos maltrataram. Perdoar é amar os nossos inimigos e pagar o mal com o bem. Perdoar é lembrar sem sentir dor.

Em segundo lugar, *como o perdão é uma atitude espiritual, precisamos pedir que Jesus aumente a nossa fé*. Pessoas que têm uma fé trôpega não conseguem perdoar. A menos que estejam sendo fortalecidas pelo amor que procede do coração de Deus e abastecidas pelas fontes que emanam do trono divino, não conseguem perdoar verdadeiramente. O perdão é consequência de uma vida de intimidade com Deus. A fé vem pela Palavra. Somos salvos pela fé. Vivemos pela fé. Vencemos pela fé. Perdoamos pela fé.

Em terceiro lugar, *todos nós estamos aquém do padrão divino em relação ao perdão*. Por isso, precisamos orar: "Senhor: Aumenta-nos a fé". Só Deus pode nos fazer crescer nessa prática espiritual. Sempre estaremos aquém do padrão divino. Sempre precisaremos avançar para alcançarmos o alvo. Precisamos buscar em Jesus a capacitação para perdoar como Deus nos perdoa. Quanto mais perto de Deus andarmos, mais perto do nosso cônjuge estaremos e mais longe do divórcio.

## A reconciliação é melhor que o divórcio

O divórcio é um expediente amargo que produz dor e decepção nos filhos e também nos cônjuges. O divórcio é uma espécie de terremoto que cai sobre o casamento e provoca um desabamento da família. As perdas emocionais são imensas. Os reveses financeiros tornam ainda mais amargas as pessoas feridas pelo abandono e separação. O enfrentamento social é um peso que achata as vítimas do divórcio. Por mais que ele seja proclamado, estimulado e aceito, as sequelas do divórcio não desaparecem facilmente. Seus efeitos são notados muitos anos depois e, quiçá, até mesmo em futuras gerações.

O caminho da reconciliação é melhor do que o atalho do repúdio. É mais seguro e conduz a um destino mais feliz. A solução para um casamento em crise não é o divórcio, mas o arrependimento, o perdão e a reconciliação. Não há causa perdida para Deus. Não há relacionamento irrecuperável. O casamento é um símbolo do relacionamento entre Cristo e sua igreja. Quando pecamos contra o Senhor, Ele não nos escorraça nem nos manda embora. Ele nos perdoa, nos restaura e celebra conosco a festa da reconciliação. O perdão deve ser completo, ou então não é perdão. O perdão é incondicional, ou então não reflete o amor incondicional de Deus. O perdão é sempre maior do que a ferida. O perdão sempre supera a dor. O perdão devolve a dignidade do caído, cura a alma enferma e restaura o relacionamento quebrado.

# O perdão e a reconciliação são melhores do que o divórcio | 149

Um dos quadros mais vivos do perdão incondicional é a história do profeta Oseias e sua esposa Gômer. A nação de Israel estava entregue à apostasia. O povo estava cansado de Deus e havia abandonado o Senhor e o trocado por outros deuses. A nação de Israel estava se prostituindo espiritualmente, sendo infiel à sua aliança com Deus. O Senhor, então, em vez de falar à nação pela boca do profeta, falou pela vida do profeta. Em vez de exortar o povo por meio de um sermão, demonstrou a Israel o seu amor pelo padecimento do profeta.

Gômer era uma mulher bonita e atraente. Ela era um símbolo de Israel. Ela teve três filhos. O primeiro filho chamou-se Jezreel. Esse não é um nome adequado para se pôr em um filho. Jezreel foi o local de uma chacina. Foi um campo de sangue. Um lugar de violência. Deus mostrava o perigo iminente que desabaria sobre o povo, caso ele não se arrependesse. Gômer concebeu novamente e deu à luz à desfavorecida. Não diz o texto que ela era filha de Oseias. Talvez essa menina já fosse fruto da infidelidade de Gômer. Deus mostrava o seu desgosto e desfavor à nação de Israel pelos seus pecados. A essa altura, Gômer se entregou a uma vida de devassidão e engravidou novamente. Dessa vez, Oseias tinha a certeza de que essa criança não era dele. Quando o menino nasceu, pôs nele o nome de "Não meu povo". Israel não era povo de Deus. Havia se desviado e se entregado à prostituição espiritual.

Depois que o terceiro filho foi desmamado, Gômer abandonou o profeta Oseias e se entregou à luxúria, vivendo despudoradamente com seus amantes. Ela tornou-se uma prostituta cultual. Aprofundou-se em seu pecado. Corrompeu-se ao extremo. A despeito do descalabro moral de Gômer, da apostasia do seu amor, Oseias continuou a amá-la e a buscar formas de revelar o seu amor a ela. Ao perceber que ela passava necessidades nas mãos de seus amantes, Oseias comprou presentes para ela, mas ela voltou-se ainda mais para os seus amantes, entregando-se ainda mais às suas paixões infames.

O tempo passou. Gômer perdeu seu viço, sua beleza, seu encanto. Então, ela foi levada para o mercado para ser vendida como escrava. No meio da multidão, Oseias viu sua mulher acabada, gasta, envelhecida, sendo vendida como uma mercadoria. Seu coração se comoveu. Ele ainda amava a sua mulher. Por isso, ele participou do leilão e ofereceu o maior lance para comprar Gômer. O povo de Samaria certamente ficou chocado. Talvez as pessoas pensassem que Oseias iria lavar a sua honra e matar a esposa adúltera. Mas Oseias, em vez escorraçar a esposa infiel, tomou-a nos braços, apertou-a contra o peito, perdoou-a incondicionalmente e lhe devotou o seu amor. Oseias investiu em sua mulher, amou sua mulher, perdoou sua mulher e restaurou-a. Finalmente, Oseias não apenas falou à nação acerca do amor e do perdão de Deus, mas demonstrou isso de forma poderosa e convincente.

Somos como Gômer. Mas em vez de Deus sentir nojo de nós, Ele corre em nossa direção, abraça-nos, beija-nos, honra-nos, perdoa-nos, restaura-nos e celebra a festa da nossa reconciliação.

Deus não apenas apaga as nossas transgressões; Ele nos recebe de volta e celebra a nossa volta para Ele. Deus não apenas cancela a nossa dívida, mas concede-nos o privilégio de filhos e de herdeiros. Deus não apenas sepulta o nosso passado no mar do esquecimento, mas constrói um relacionamento cheio de ternura no presente. Deus não apenas tapa os fossos escuros do nosso passado vergonhoso, mas constrói pontes de um novo e vivo relacionamento. Perdão implica restauração.

Talvez você esteja afastado de alguém que um dia fez parte da sua vida. Talvez uma muralha de bronze esteja separando você de alguém que deveria estar a seu lado. Talvez dentro da sua casa haja muros construídos. Talvez você seja casado, mas já não dorme mais na mesma cama com sua esposa. Talvez você nunca tenha se libertado da dor da traição de seu cônjuge, nem jamais tenha conseguido perdoar aquele amigo que o decepcionou. Talvez você nunca tenha conseguido perdoar o seu pai ou a sua mãe pela maneira rude com que o trataram na infância ou pelo tratamento diferenciado que deram a seus irmãos. Talvez suas feridas ainda estejam sangrando, e sua alma ainda se encontre em grande angústia. Chegou a hora de você estancar essa hemorragia que drena as suas forças. Chegou a hora de você dar um basta nessa dor que sufoca o seu peito e decretar a sua própria liberdade. Você pode ficar curado dessa dor e atar essa ferida. Você pode perdoar as pessoas que abriram feridas em seu coração e se ver livre. Você pode restaurar os relacionamentos quebrados. Você pode experimentar o poder do perdão em sua vida!

## A Igreja deve ser uma comunidade de cura para os feridos do divórcio

Como a Igreja deve tratar as pessoas feridas pelo divórcio? Elas se multiplicam a cada dia. Elas estão em todos os lugares e também ocupando os bancos das igrejas. O que fazer com aqueles que fracassaram e caíram? Os fariseus trataram as pessoas feridas com rigor e legalismo. Davam mais valor às suas tradições do que às pessoas. Jesus, entretanto, agiu diferente.

A mulher samaritana já estava no sexto relacionamento conjugal. Tinha tido cinco maridos e agora estava vivendo com um homem que não era seu marido legítimo. Sua reputação era reprovável. As pessoas viam-na como um risco para a sociedade. Ela era desprezada. Tinha de ir sozinha ao poço buscar água num horário absolutamente desfavorável. As pessoas fugiam dela. Mas Jesus não evitou encontrar-se com essa mulher segregada e alijada. Ele entabulou um diálogo com ela. Ele chocou até mesmo os seus discípulos ao conversar com essa mulher proscrita (João 4:27). Em sua viagem para a Galileia, Jesus decidiu passar por Samaria, porque tinha um encontro com essa mulher samaritana (João 4:1). Jesus não desprezou essa pecadora. Falou com ela, revelou-se a ela. Despertou nela a consciência da sua sede espiritual e ofereceu a ela a água da vida. Longe de escorraçá-la do reino por causa do seu pecado de múltiplos divórcios, Jesus salvou-a, perdoou-a e fez dela uma missionária. A Igreja precisa encarnar a misericórdia de Jesus. Quando as pessoas chegam ao fundo do poço, precisamos dar a elas esperança, e não condenação. Jesus não fechou a porta do reino para essa mulher divorciada; ao contrário, deu a ela a água da vida e fez dela uma embaixadora das boas-novas da salvação. Não importa qual é a nossa posição sobre a questão do divórcio ou novo casamento, a rejeição de suas vítimas não pode ser biblicamente justificada.

Certa vez, os fariseus trouxeram a Jesus uma mulher flagrada em adultério. Jogaram-na aos pés do Senhor para que Ele se posicionasse a respeito do seu destino. Relembraram-lhe que a lei exigia o seu apedrejamento. Mas Jesus, em vez de cair na armadilha dos inimigos de plantão, tirou-lhes a máscara e revelou-lhes seus próprios pecados, dizendo: "Aquele que dentre vós estiver sem pecado seja o primeiro que lhe atire pedra" (João 8:7). Os acusadores, alfinetados pela própria consciência, fugiram. À mulher, Jesus disse: "Mulher, onde estão aqueles teus acusadores? Ninguém te condenou? Respondeu ela: Ninguém, Senhor! Então, lhe disse Jesus: Nem eu tampouco te condeno; vai e não peques mais" (João 8:10-11). A Igreja é lugar para os feridos encontrarem aceitação, perdão, cura e restauração. Jesus não pôs um peso de culpa sobre aquela mulher que já fora arrastada aos seus pés. Ela já estava humilhada o bastante. Ele apenas estendeu-lhe a mão, levantou-a e restaurou-a para a dignidade de uma nova vida. A Igreja deve ser uma comunidade aberta a todos, mas não aberta a tudo. Ela acolhe os pecadores e rejeita o pecado. Ela ama o pecador, mas abomina o pecado. Os divorciados precisam encontrar na Igreja de Deus um lugar de aceitação, cura e restauração, embora devamos repudiar o pecado do divórcio com firmeza, assim como o fez Jesus.

Como Igreja, precisamos agir preventivamente, oferecendo aos jovens aconselhamento pré-marital e também agir terapeuticamente, oferecendo aconselhamento aos casais que enfrentam problemas conjugais, bem como suporte àqueles que são vitimados pelo divórcio, a fim de que sejam restaurados e reanimados a viver na dependência de Deus.

# Lições que aprendi neste livro para ser casado e feliz

*Lições que aprendi neste livro para ser casado e feliz*

## Lições que aprendi neste livro para ser casado e feliz

Sua opinião é importante para nós.
Por gentileza, envie-nos seus comentários pelo e-mail:

**editorial@hagnos.com.br**